HISTORIA DE LAS MADRES DE PLAZA DE MAYO

HISTORIA DE LAS MADRES DE PLAZA DE MAYO

ASOCIACIÓN MADRES DE PLAZA DE MAYO

Diseño de Colección, composición y armado de interior:
Diego Soraires - Marcelo Bonelli (Estudio Gropius)

1ra EDICIÓN - 1ra REIMPRESIÓN

Hipólito Yrigoyen 1442
(1089) Buenos Aires - Argentina

I.S.B.N.: 987-99610-1-3

Hecho el depósito que marca la ley 11.723
IMPRESO EN LA ARGENTINA - PRINTED IN ARGENTINA

Capítulo 1

Conferencia pronunciada el 6 de julio de1988 en Liber/Arte por la presidenta de la Asociación Madres de Plaža de Mayo

Espero que a partir de esta charla nos conozcan más, que les resulte realmente a todos interesante. Es la vez que las Madres participamos en un Seminario. Es la primera vez que escribo algunos ítems para hablar, para contarles esta historia. Lo charlamos con todas las Madres, porque ustedes se imaginan que 11 años de lucha tan intensa no es fácil de resumir en dos horas, o en una hora de charla y una hora de debate. Lo conversamos entre todas, y entre todas resolvimos, o pensamos, qué cosas podían ser para ustedes, para los que vienen hoy aquí y para los que lo van a leer, las más interesantes.

Como ustedes saben, las desapariciones comenzaron en el '74 y en el '75 con las AAA; nosotros tenemos algo así como 600 casos. Y en el '76, cuando se instala la dictadura, comienzan a ser tremendamente mayores, y ya las madres de estos desaparecidos —de los primeros— habían comenzado a moverse: Ministerio del Interior, Policía, la Iglesía —por supuesto—, partidos políticos, o algunos políticos a los que se los iba a ver. Había algunos organismos: la Liga que es un organismo que tiene muchísimos años; la Asamblea, que se había formado en el '76 o '75; Familiares, a los que también acudían las Madres. Cuando la Dictadura se instala —como dije antes— en el '76, había desgraciadamente más desaparecidos; y nosotras golpeábamos, todas, las mismas puertas. Todos ustedes saben que ahí nos conocimos; algunas en el Ministerio del Interior, algunas en la Policía, algunas en la calle, algunas en la desesperación de ir a la cárcel a ver si estaban ahí. Y a la Iglesia.

Y un día, estando en la iglesia, en la iglesia de los asesinos, en la iglesia Stella Maris, que es la iglesia de la Marina, donde íbamos a ver a Gracelli, Azucena (Villaflor de De Vincenti) dijo que ya basta, que no se podía más estar ahí, que ya no conseguíamos nada, que por qué no íbamos a la Plaza y hacíamos una carta para pedir audencia, y que nos dijeran qué había pasado con nuestros hijos.

Y así fuimos por primera vez un sábado. Nos dimos cuenta que no nos veía nadie, que no tenía ningún sentido. Era un 30 de abril. Decidimos volver a la otra semana un viernes. Y a la otra semana decidimos ir el jueves.

Mucha gente se pregunta por qué habiendo otros organismos las madres fuimos a la Plaza, y por qué nos sentimos tan bien en la Plaza. Y esto es una cosa que la pensamos ahora, no la pensamos ese día; y cuánto más hablo con otra gente que sabe más que nosotros, más nos damos cuenta por qué se crearon las Madres. Y nos creamos porque en los otros organismos no nos sentíamos bien cerca; había siempre un escritorio de por medio, había siempre una cosa más burocrática. Y en la Plaza éramos todas iguales. Ese "¿qué te paso?", "¿cómo fue?". Eramos una igual a la otra; a todas nos habían llevado hijos, a todas nos pasaba lo mismo, habíamos ido a los mismos lugares. Y era como que no había ningún tipo de distanciamiento. Por eso es que la Plaza agrupó. Por eso es que la Plaza consolidó.

Cuando nos dimos cuenta que íbamos avisándonos unas a las otras que los jueves a las tres y media nos reuníamos en esa Plaza, en un banco, no caminábamos, no marchábamos. Algunas íbamos un rato antes, las que vivíamos más lejos, porque ese sentirnos bien... Ustedes saben que en esa época éramos despreciadas, las familias nuestras pasaron a ser las familias de los "terroristas", se nos cerraban las puertas, así que era poca la gente con la que una podía conversar. Pero con las madres éramos todas iguales, nos pasaba lo mismo, veíamos la misma gente.

Y esto que fuimos descubriendo a partir de conversar con tanta gente, nos muestra ahora cómo ese sentirnos igual es tan importante. Sentirse igual.

El tema de cómo fuimos creciendo. Tomamos la decisión de que algunas madres fueran al Departamento de Policía, otras al Ministerio del Interior, otras casa por casa, a convocar a que las madres vinieran a la Plaza. Era muy difícil ir al Departamento de Policía y sentarse, cuando una veía una madre que lloraba o que estaba muy mal, convocarla, pero se hacía. Ir casa por casa también era una cosa muy difícil, porque esa casa por casa implicaba que a una la siguieran con un auto, o que llamaran a la policía a ver quién era esa mujer que venía a preguntar si había un desaparecido, o que simplemente no le abrieran las puertas, o que sintiera una madre que era otra madre la que la convocaba y nos recibiera bien. De cinco casas, tres seguro no nos abrían o no nos atendían o nos desconfiaban, pero había dos que sí recibían nuestro mensaje.

En un principio les decíamos qué nos parecía que había que hacer, a quién había que ver. Y así fue creciendo la Plaza.

Esos primeros encuentros también generaron las primeras acciones, que fueron absolutamente impensadas, espontáneas. La primera acción fue entregar la carta. Comunicarnos entre nosotras. Cuando la policía vio que éramos muchas, que éramos 60 o 70, en esos medios bancos que hay en la Plaza, dijo "bueno, acá no se puede, hay estado de sitio, no pueden estar acá sentadas, esto ya es una reunión, marchen, caminen", y empezó a golpear con las manos y con los palos... y la policía nos hizo caminar, nosotras no pensábamos marchar.

Quiero decirles que nosotras no nos gusta que la llamen ronda a lo que hacemos. Y yo le explicaba a unos compañeros que están por hacer un libro por qué no le queremos decir ronda y le decimos marcha. Porque la ronda es rondar sobre lo mismo, pero marchar es marchar hacia algo. Y las Madres creemos que, aunque sea en círculo, estamos marchando hacia algo.

En estas primeras acciones, ese caminar, también tomándonos del brazo, aferrándonos las unas a las otras, contándonos, también fuimos solidificando nuestro pensamiento y creciendo y tomando conciencia. El tema, primero, fue que nos pedían que nos fuéramos, una vez que no salíamos de la Plaza, porque ellos querían sacarnos y nosotras no, insistimos con dar vuelta alrededor de la Pirámide; entonces un día vinieron y le pidieron el documento a una madre, y la madre se lo dio. Y ya esa madre quedaba bastante asustada porque nosotras creíamos —todavía muy ingenuas— que no sabían ellos quienes éramos nosotras, entonces el que ya supieran el nombre asustaba. Otro día, otra vez. Y un tercer día, un tercer jueves, cuando le piden el documento a una decidimos dárselos todas el documento; claro, el "cana" con 300 documentos (que ya casi éramos) qué iba a hacer, no le servían para nada. Y sirvió para que, en vez de estar muy pocos minutos en la Plaza —como estábamos en ese tiempo— nos quedáramos muchísimo rato, hasta que nos dio el documento una por una de vuelta, nos identificó... Realmente fue una acción para nosotras, primero, de unidad, de mucha unidad (porque todas o ninguna), y después también parar a la "cana" para que no nos pidiera más documentos, porque la "cana" dijo si ahora en vez de dárnoslo una nos lo dan todas ya no nos sirve más, porque era una acción intimidatoria.

También hicimos acciones cuando venían personajes,

como los norteamericanos —Terence Todman, Cyrus Vance. Las Madres hicimos acciones muy fuertes en ese momento, cuando nadie salía a la calle. Cuando vino Terence Todman nosotras fuimos a la Plaza —esta es una cosa que la hemos contado muchas veces, tal vez todos lo sepan—; Videla mandó un emisario (no usábamos pañuelo todavía, agitábamos un pañuelo y les decíamos que teníamos los hijos desaparecidos, no había otra cosa que pudiéramos hacer, pero igual le molestábamos al gobierno, a la dictadura), un emisario que mandaba la dictadura para que nos fuéramos, y que si nos íbamos Videla no iba a atender. Claro, eso ocasionaba que algunas madres dijeran "mejor que nos vayamos y nos atienda Videla"; y otras decíamos "no, igual no nos van atender". Y nos quedamos agarradas entre nosotras, agarradas a una columna. Entonces mandaron milicos como para la guerra, armados, con cascos, para que nos fuéramos. Y les dijimos que no nos íbamos a ir. Entonces ellos pidieron que apunten, y cuanto dijeron "apunten" nosotras les gritamos "fuego". Y ese gritarles "fuego" hizo que todos los periodistas que estaban para verlo a él —a Terence Todman— vinieran a ver quiénes eran esas mujeres —que no éramos más de 30— que habían hecho esa acción tan fuerte que sirvió para que saliéramos ya en muchos periódicos. Cuando vino Cyrus Vance fuimos a la Plaza San Martín, cuando ponían la ofrenda floral, y también gritamos y pedimos por nuestros desaparecidos, y también hicimos que la prensa se interesara. Y de ahí hay una foto, que ha dado la vuelta al mundo, donde las Madres estamos gritando y pidiendo por nuestros desaparecidos. Dio la vuelta al mundo, pero no dio la vuelta al país, porque en el país no salió, no salió absolutamente nada, y muy poca gente se enteró.

En todas estas cuestiones, en todas estas demostraciones, en todos estos actos, las Madres todavía no úsabamos el pañuelo, y nos comunicábamos solamente los jueves en la Plaza, y en alguna pequeña reunión que hacíamos en un bar o a veces en el atrio de una iglesia.

Cuando llega el mes de octubre entre los organismos que estábamos funcionando se prepara una marcha. Los primeros días de octubre también la Iglesia preparaba su marcha a Luján con un millón de jóvenes. Y las Madres decidimos ir a las dos marchas: a la de los organismos, que era para el Día de la Madre, y a la de los primeros días de octubre, que hacía la Iglesia. Pero no sabíamos cómo identificarnos, todas no podíamos caminar tantos kilómetros, entonces cómo nos íbamos a identificar; unas iban a ir desde Luján, las otras iban a entrar en Castelar, otras en Moreno, otras en Rodríguez. Entonces empezamos a ver cómo nos identificaríamos, y una dijo "vamos a ponernos un pañuelo". "¿Un pañuelo..., y de qué color?, porque tiene que ser del mismo color". "Y bueno, blanco". "Y, che, y si nos ponemos un pañal de nuestros hijos" (que todas teníamos esa cosa de recuerdo, que una guarda). Y, bueno, el primer día, en esa marcha a Luján, usamos el pañuelo blanco que no era otra cosa, nada más ni nada menos, que un pañal de nuestros hijos. Y así nos encontramos, porque ese pañuelo blanco nos identificaba. En el tiempo en que llegamos a Luján nos dimos cuenta que mucha gente se acordó, después de algunos días, que esas mujeres de pañuelo blanco habían sido capaces, alrededor de la plaza de Luján, de gritar y pedir —rezando, por supuesto— por los desaparecidos. O sea que todo el mundo que estuvo esa vez en Luján se enteró que había desaparecidos en el país y que las Madres, rezando, pedíamos por ellos. Fuimos luego a la marcha que hicieron los organismos, donde 300 de nosotros (gente de los organismos) fuimos presos, nos emboscaron y llevaron a la cárcel, a la comisaría. Y bueno, fuimos todos los organismos, entre los que llevaron presos se equivocaron y llevaron también a algunos periodistas extranjeros y a las monjas —casualmente—, y esto hizo que el mundo inmediatamente se enterara de lo que pasaba. Pero nosotras en la comisaría tampoco nos quedábamos quietas. A medida que nos identificaban y nos preguntaban quiénes éramos y nos mandaban a un lugar, decidimos rezar también en ese lugar. Pero rezábamos pidiendo para que no fueran tan asesinos los de esa comisaría; o sea que mientras tanto aprovechábamos el rezo para decirles asesinos y torturadores a los que teníamos ahí adelante. Y era una acción muy fuerte, muy fuerte, pero como era dentro del rezo, del Ave María y del Padre Nuestro, como hay tanto respeto, y los milicos se la pasan haciéndose la señal de la cruz cuando entran y salen de las comisarías, no podían decirnos nada, porque entre Padre Nuestro y Ave María los acusábamos de asesinos.

Llegó la época de las solicitadas. Hicimos una solicitada

junto con Familiares. Y luego una solicitada de las Madres, para la que trabajamos muy intesamente, juntando pesito por pesito, buscando los nombres... Y el 8 de diciembre, en la Iglesia Santa Cruz, cuando estábamos recogiendo dinero para esa solicitada, Astiz —que ya se había infiltrado entre nosotras, que entre agosto y septiembre había comenzado a ir a la Plaza diciéndonos que tenía un hermano desaparecido y dándanos el nombre y haciendo un hábeas corpus por él— provoca, señalando a nuestras compañeras, el secuestro de los familiares, de las monjas

Azucena Villaflor de De Vincenti

y de dos de nuestras Madres —Mary Ponce y Esther Balestrino de Cariada— en la Iglesia Santa Cruz. Se hace ese terrible secuestro, ese terrible operativo. Y, al otro día, cuando nos encontramos nuevamente con Azucena y con las otras, que todavía no habían secuestrado, estábamos todas muy mal, muy terriblemente desesperadas, era una cosa muy tremenda, era un secuestro a nosotras mismas; era ponernos un alerta rojo muy tremendo. Pensábamos, yo decía "pero no sigamos con la solicitada, Azucena, no porque... cómo... busquemos a los que faltan". Ella me decía "mirá, ya hay gente que está haciendo hábeas corpus y cosas; los que faltan, faltan por hacer esta solicitada; los que secuestraron, los secuestraron por esta solicitada; nosotras no la podemos parar, la tenemos que seguir". Y así seguimos con la solicitada. Cuando la llevamos a La Nación, ingenuamente, la llevamos escrita a mano y no por orden alfabético. Y en La Nación dijeron "señoras, escrita a mano... así no se puede hacer, esto hay que hacerlo a máquina". No teníamos oficina, no teníamos máquina de escribir, por supuesto, no teníamos lugar para hacerla, pero conseguimos algunos empleados de un Ministerio que nos ofrecieron —si nosotras entreteníamos a dos jefes— pasar a máquina la solicitada muy rápidamente. Y así lo hicimos. Dos de nosotras entretuvimos a los jefes, y los empleados nos pasaron la solicitada. Y llevamos la solicitada a La Nación. Y salió la solicitada en La Nación. En ese día secuestraron a otra de las monjas. Y al otro día, el 10 de diciembre, en la mañana, cuando Azucena va a comprar el diario de esa solicitada que ella había gestado y que había sido tan firme para decir "no, hay que seguir haciéndola", cuando va a buscar ese diario la secuestran en la esquina de su casa. Fue terrible, un golpe durísimo para nosotras. Era muy difícil pensar cómo íbamos a hacer para seguir. Era casi imposible, porque en esos días también habían secuestrado más jóvenes, más hijos nuestros, los que teníamos un desaparecido ahora teníamos dos, y algunas tres, y también a las madres, y a los familiares, y a las monjas. Pero nos habíamos dado cuenta que Azucena nos había enseñado un camino. Que en la Plaza nos sentíamos una igual a la otra, porque éramos iguales, porque nos pasaba lo mismo, porque el enemigo estaba siempre en el mismo lugar y estaba cada vez más duro, porque el enemigo nos había mandado secuestrar.

Entonces resolvimos seguir en la Plaza. No fue fácil volver al otro jueves a la Plaza. No fue fácil retomar otra vez la tarea de volver. De volver a insistir que la Plaza era lo único, cuando muchos decían que no había que ir a la Plaza, que éramos locas, que era un peligro, que no se fuera, porque realmente a qué íbamos a la Plaza. Pero, como les dije antes, era realmente un lugar donde nosotras nos comprendíamos y sentíamos ese encuentro que, sin darnos cuenta, sentíamos con nuestros hijos. Todavía con toda la ilusión de encontrarlos, con toda la ingenuidad de que la Dictadura tal vez no fuera tan feroz —porque uno no creía que pudiera ser tanta la ferocidad, que la tortura fuera tan terrible. Yo creo que muy pocas de nosotras nos dábamos cuenta del horror de lo que estaba pasando, definitivamente. Todas teníamos esperanzas: los van a poner en la cárcel, los vamos a encontrar, en la comisaría, o en la cárcel, o en el ejército. Y cada día, cada acción que hacíamos, porque además de lo que hacíamos en la Plaza también hacíamos acciones personales: ir a los lugares de detención, a los campos de concentración. ¡Los campos de concentración no los encontró la CONADEP! Para nada. Los encontramos las madres que nos íbamos a parar en la puerta en la época en que estaban llenos de desaparecidos. ¡No fue Sábato a buscarlos ahí! Ahí fuimos nosotras; Sábato fue cuando estaban vacíos. Nosotras íbamos cuando estaban nuestros hijos.

Y viene la época del Mundial, en 1978. Ese horror que para nosotras era el Mundial y que a mucha gente los ponía contentos. Se provocaban más secuestros. Se acentuaba la represión. Se acentuaba en la Plaza. Nos llevaban presas a cada rato. Nos golpeaban. Ponían perros en la Plaza. Nosotras llevábamos un diario enrroscado para cuando nos echaban los perros. Nos tiraban gases. Habíamos aprendido a llevar bicarbonato y una botellita de agua. Para poder resistir en la Plaza. Todo esto lo aprendimos ahí, en esa Plaza. Mujeres grandes, que nunca habíamos salido de la cocina, habíamos aprendido lo que habían hecho tantos jóvenes antes. Luchar por ese pedacito de Plaza, luchar por ese pedacito de cielo que significaba nada más y nada menos que esto que tenemos hoy. Y el mundial también fue muy terrible para nosotras. Fue muy terrible porque en el Mundial se tapó, o se quizo tapar, todo lo que estaba pasando.

Quiero decirles que en 1977, cuando ya se proponía lo del Mundial, a fines de año, para el mes de noviembre,

Monseñor Plaza decide hacer una "noche heroica" en La Plata que demostrar que no pasaba nada. Y decide hacer una "noche heroica" con todos los estudiantes de las escuelas católicas. Que fueran convergiendo de las distintas diagonales hacia la Plaza Moreno. Y nosotras decidimos ir. Las Madres nos pusimos con el Colegio Marista. Y ahí ya usamos el pañuelo, porque había pasado la primera vez que nos lo habíamos puesto, porque en la Plaza no lo usamos tampoco enseguida, ése era un acto importante. Cuando la policía nos vio nos empezó a seguir pero, como éstabamos mezcladas con los maristas, los maristas estaban tan asustados que no les salían ni la palabras. Cuando vimos que la policía, cuando nos arrimábamos a la Plaza Moreno, nos empezó a rodear para aislarnos del grupo, empezamos a rezar. Y como le tienen tanto miedo a Dios, nos dejaron que rezáramos. Y rezábamos Padres Nuestros y Aves Marías y Rosarios, uno atrás del otro, hasta que llegamos a la puerta de la Catedral. Y seguimos rezando con mucha fuerza en la puerta de la Catedral para poder entrar a la Catedral. Y nos instalamos en la Catedral y los jóvenes que estaban afuera vinieron a ver quiénes éramos, porque ellos no sabían. Y les empezamos a contar. Se había organizado que a las 12 de la noche iba a haber un gran acto en la Plaza de guitarreada y empanadas y festividad para ese Mundial y porque en La Plata no pasaba nada, y un grupo grande de jóvenes, que estudiaban en esas escuelas católicas, le fueron a decir a Plaza que ellos no iban a guitarrear, que no iban a cantar, que no iban a comer empanadas, porque mientras había tanto dolor adentro de la Catedral ellos no iban a cantar afuera. Y cada uno se fue a su casa, las únicas que no nos fuimos nosotras.

Nos quedamos solas toda la noche en la Catedral, por que los jóvenes se fueron, se fueron porque no querían cantar ni querían comer ni querían guitarrear. Esto a Plaza le costó que lo llamara Saint Jean y Sasiaíñ y le preguntaran: qué había pasado, cómo esas mujeres habían roto ese acto que ellos habían preparado. Y ahí tambíen nosotras hicimos algo muy fuerte y muy duro que fue insultarlo a Monseñor Plaza dentro de la Catedral. Insultarlo porque no pidió por los desaparecidos en la misa que se hizo a las 5 de la mañana con los jóvenes que vinieron a la misa para acompañarnos a nosotras. O sea que hacíamos cosas muy duras y nadie se enteraba, más que los que estaban ahí en ese pedacito; pero que era multiplicadores (esos jóvenes) después al ir contando en sus casas.

En el Mundial, como les digo, la represión se hizo tan fuerte que dicimos ir a las iglesias a encontrarnos para ver qué cosas íbamos a seguir haciendo. Y cuando nos reprimían en la Plaza, sabíamos que podíamos ir a tal o cual iglesia. Tanta fue la represión, en un momento, que hicimos como un fixture para no ir siempre a la misma iglesia porque sino la cana ya nos esperaba en la puerta. Nos apagaban las luces, nos echaban; pero también dentro de la iglesia, y por eso los curas no nos quieren. Entre Padre Nuestro y Ave María nos pasábamos que íbamos a hacer, decíamos: "Padre Nuestro que estás en los cielos, vamos tal día a tal lugar; Ave María..." Esa era la manera de pasarnos, sin papel y sin nada, qué actividad íbamos a realizar.

En el Mundial, como les dije, sufrimos mucho. Sufrimos la indiferencia del pueblo. Los medios de comunicación, que eran terribles. El ataque desde el exterior diciendo que éramos antinacionales los que hablábamos en contra del Mundial. Pero también vimos que cuando se inició el Mundial, había más periodistas extranjeros en la Plaza que en el propio Mundial. Y que Holanda, en vez de pasar el inicio del Mundial, cuando éste comenzó pasó a las Madres marchando en la Plaza. Y que también en ese año comenzaron a trabajar los grupos de apoyo, como SOLMA, yendo frente a la Embajada argentina, en Francia... Y hoy quiero decirles que están acá los dirigentes de SOLMA acampañadonos en este momento, que no han dejado de ir todos los jueves frente a la Embajada a solidarizarse con las Madres, siguen yendo todos los jueves.

Hicimos nuestro primer viaje a Europa. Cuando pasó fin de año, después del Mundial, decidimos realizar un viaje a Estados Unidos y a Roma. También casi sin pensar muy bien qué significaba salir a lugares tan desconocidos para todas nosotras. También con mucho esfuerzo, con mucho miedo, sabíamos que salíamos y no sabíamos si íbamos a volver. Fuimos a Estados Unidos y a Roma. En Estados Unidos pedimos entrevistas —tal vez por inconciencia— a alto nivel; pedimos al Departamento de Estado, pedimos los lesgiladores, pedimos Patricia Derian. Pedimos a los personajes que conocíamos por el diario y también los que creíamos —también por esa falta de preparación política— que nos podían ayudar. Y los vimos, y nos dieron las entrevistas, y ahí comenzamos nuestra etapa de que nos apoyen fuera del país. En Italia conseguimos la entrevista con Sandro Pertini, con todos los lesgiladores; nos parecía mentira. El único que no nos pudo atender fue el Papa porque él está siempre muy ocupado. Pero también fuimos al Vaticano y ahí nos atendió.

(...) Y qué era una conferencia de prensa... y, bueno, "al toro", como quien dice. También hicimos entrevistas con las organizaciones de base, colectivas. Y volvimos al país sin saber si íbamos a poder entrar.

Pero pudimos entrar y contarle a las Madres cómo era todo esto. Pero ahí ya la represión con las Madres fue infernal. Todos los jueves nos llevaban detenidas, y también ahí decidimos que si una iba presa, ibamos todas. No era que nos llevaban a 40 o 60 porque ellos querían, no, nosotras nos poníamos detenidas, y por eso también los demás decían que éramos locas. Pero nosotras, cuando iba una Madre presa, decíamos no, si va una vamos todas. Si no caíamos en el primer patrullero en el segundo o en el tercero. Si no nos llevaban, nos presentábamos en la comisaría: "¡señor yo quiero estar presa con todas las Madres!" No entendía nada el comisario por qué queríamos estar presas, pero juntas hacíamos muchísima fuerza. Y adentro de la comisaría tambíen les hacíamos los grandes líos. Nos soltaban de a una, a la madrugada, pero había Madres que tenían fuerza que también se quedaban fuera de la comisaría dando vueltas alrededor hasta que nos iban largando a todas.

Ahí no había abogado que te defendiera, ahí no había nada; no había políticos, salíamos y solita nuestra alma.

Pero, bueno, igual seguíamos teniendo fuerza y queríamos conservar la Plaza. Llegó 1979, la represión fue brutal, no podíamos ir los jueves a la Plaza porque ya era demasiada la represión, hacíamos apariciones esporádicas para no perder la Plaza, un jueves a la mañana o un viernes por la tarde, y decidimos ir todos los jueves a las iglesias, a distintas iglesias. Como vimos que algunas Madres nos perdíamos, porque como no teníamos la misma iglesia si un jueves no ibas ya a la otra no sabías, decidimos ir un mes seguido a una misma iglesia, y cada vez íbamos cambiando. Pero también decidimos formar la Asociación, porque dijimos: eso tiene que quedar, porque si la represión se hace brutal y no podemos retomar la Plaza los jueves, esto tiene que quedar en algo. Y decidimos, un pequeño grupo, formar la Asociación ante escribano público, que se llama, como se llamó siempre, Madres de Plaza de Mayo. Esto se hizo; se decidió el 14 de mayo y se formó, por estas casualidades también, en una fecha muy tremenda para todos nosotros y que tiene un gran significado para las Madres. Se firmó el 22 de agosto de 1979, que es la fecha de los fusilamientos de los compañeros de Trelew. Fue casual, pero tiene tanto que ver formar la Asociación ese mismo día.

En el '79 vino la OEA, donde también teníamos grandes esperanzas. La OEA también para las Madres significó actividad, significó movimiento. Fuimos todos los días, hablamos con los de la OEA. Fue el único organismo donde entramos todas las Madres, 150 Madres; a los demás organismos sólo fueron las comisiones, nosotras pedimos entrevista para todas y entramos 150 Madres a hablar con ellos. Realmente fue importante la venida de a OEA; creíamos que iba a ser importante. Pero no pasó absolutamente nada. No pasó nada porque sirvió para blanqueo, para matar más gente, para más terror.

En el '79 también se hace el Mundialito, donde ustedes saben que mandaban a los camiones, cuya nafta era entregada gratis por YPF, para que insultaran a los que estábamos en la cola de la OEA. Muñoz convocaba a la gente por la radio a que fueran a hacer la imagen del país con ese Mundialito, donde surgieron algunos de los que son famosos hoy. Y sufrimos también ese oprobio que para nosotras era que mientras muchos cantaban y gritaban, nosotras estábamos ahí, en esa cola de espera, ya que para nosotras era común hacer colas frente a tantas organizaciones, era hablar una vez más: primero hablábamos en el Ministerio del Interior, después el hábeas corpus, los jueces. Siempre hablando nosotras, y cuando vino la OEA también hablamos nosotras; por eso rechazamos a la CONADEP, porque también tuvimos que ir hablar, o quisieron que fuésemos a hablar nosotras. Ya habíamos hablado tantas veces, y habíamos dicho tanta veces lo que nos pasaba.

En el '80 decidimos retomar la Plaza. Dijimos: tenemos que ir pase lo que pase. Y volvimos a la Plaza, y la retomamos, porque tomamos desprevenida a la policía porque fuimos un jueves que ellos no pensaban, en la tarde, a la misma hora de siempre, a las tres y media. Al otro jueves pusieron policía como para la guerra, hasta en los árboles, con ametralladoras apuntando para abajo, pero igual nos quedamos. Nos golpearon, nos pusieron perros, pero igual dijimos que no podíamos dejar de ir, y que esa Plaza había que conservarla porque era la lucha, porque era el futuro, porque ahí sentíamos que sí era una manera de recuperar esto que tanto queríamos que era tener un estado de derecho o constitucional.

En el '80 también tuvimos nuestro primer boletín. Ya había grupos de apoyo en toda Europa. Ya se había formado el grupo de apoyo en toda Holanda; las mujeres de Holanda nos estaban apoyando. Nos envían el dinero para que tuviéramos nuestra primer oficina; en 1980 por primera vez tuvimos un lugar donde reunirnos, porque hasta ese momento todo lo hacíamos en la calle. María del Rosario llevando a cuestas la oficina, llevando sobre su hombros los papeles, las carpetas, las cosas que hacíamos en las confiterías. Cuando nos queríamos hacer las clandestinas nos citábamos por el teléfono y a la confitería Las Violetas, por ejemplo, le decíamos Las Rosas, pero si no le decíamos bien Las Violetas, capaz que buscaban la confitería Las Rosas; para despistar a la cana, que no nos siguieran. Tuvimos esa primera oficina que era un gran sueño para las Madres. La compramos con el aporte de las mujeres de Holanda. Y también en el '80 afirmamos nuestra consigna de "Aparición con Vida". Porque cuando le dieron el Premio Nobel a Adolfo Pérez Esquivel, Emilio Mignone había salido con él e iba diciendo por toda Europa que los desaparecidos estaban muertos. Y nosotras, que no es que somos ingenuas ni nos estábamos chupando el dedo, pero no queríamos darle esa posibilidad a la dictadura de que ya empezáramos nosotros a decir que estaban muertos cuando todavía nadie nos había dicho qué había pasado con ellos. Y como todavía nadie nos ha dicho qué pasó, seguimos pidiendo y reclamando esa consigna que es tan dura de mantener, y tan difícil de mantener, y que costó tanto que otros la tomaran como consigna llena de contenido y no de capricho. Fue el 5 de diciembre de 1980 donde las Madres sacamos un documento diciendo que la "aparición con vida" para cuestionar el sistema, que la "aparición con vida" porque no sabíamos qué había pasado con los nuestros.

En 1981 sacamos, con gran esfuerzo, también, nuestro primer Poemario. Todavía no hacíamos grandes volantes, hacíamos cartulinas escritas por nosotras. En fin, hablar de volantes también era una cosa complicada; el volante estaba asociado a la desaparición, por llevar volantes se habían llevado a nuestros hijos. El volante y el boletín fueron dos cosas muy importantes para nosotras. El Boletín, repartirlo, que la gente se enterara; y ese volante que también hacíamos de a uno. Entonces, sacamos nuestro primer Poemario, esos poemas escritos por las Madres en momentos tan terribles de dolor, que eran todos, cada uno, una denuncia.

Y también hicimos nuestra primera Marcha de la Resistencia, resistida por todos los organismos, ninguno quiso hacer la Marcha de la Resistencia. Algunos cuestionaban la palabra resistir, las Madres decíamos resistir, no hay ninguna otra cosa, qué vamos a decir. ¿Qué quiere decir resistencia? Resistir. Queremos resistir en la Plaza 24 horas a esta dictadura. Y lo hicimos. Y lo hicimos muy poquitas. En la noche, sobre todo, 70 u 80 Madres, no quedamos más. Pero fue el día en que cambiaron 3 dictadores. Fue la época de Viola, en ese día.

Y también hicimos nuestro primer ayuno. Terminada la Marcha de Resistencia, tomamos la catedral de Quilmes y ayunamos 10 días un grupo pequeño de Madres apoyadas por todas las otras Madres para mostrar que la Marcha de la Resistencia y el ayuno eran eso, el querer conseguir un espacio y un gobierno constitucional que nos permitiera salir de esa noche de horror con la esperanza, todavía, de encontrar a algunos de los desaparecidos y, sobre todo, el castigo a tanto responsable que ya teníamos en nuestras listas, que ya teníamos identificados y que creíamos —también ingenuamente— que íbamos a poder condenar.

En 1982, las Malvinas fueron también otro hito importante en este pueblo que de un día para el otro se olvidó... un día le dan una paliza en la Plaza, el 30, y al otro día, porque estos atorrantes y estos seres despreciables provocan una guerra, estaban aplaudiendo. Y las Madres firmes, diciendo somos solidarias con las Madres de los soldados que están en las Malvinas, pero no queremos la guerra, es otra mentira, es otro Mundial de la guerra para tapar. Y nos acusaron de antinacionales. Y en la Plaza había gente que nos decía que cómo podíamos ir a la Plaza mientras estaba la guerra. Y de ahí ese cartel: "Las Malvinas son argentinas, los desaparecidos también".

Y nos mantuvimos firmes, diciéndole a cada uno la mentira que era la guerra. Y tuvimos que otra vez dar tanto a nuestros hijos para darnos cuenta de cuánto criminal, de qué tremenda era la dictadura. Hasta dónde nos había llegado de hondo que nos había hecho enfrentar con nuestros propios hermanos, con nuestros propios compañeros de lucha, algunas veces, que no querían creer que se perdía la guerra y que no querían creer cómo eran los militares.

En 1982 empiezan las multipartidarias y ahí también nuestra participación fue muy activa. Hicimos un documento. La primera reunión fue en el comité de los radicales; nos convocamos las Madres, y nos dijeron "¿pidieron entrevista?", "no". Fuimos 80 Madres, abrimos la puerta y dijimos "hola, acá estamos". ¡No podían creer los radicales que estábamos ahí metidas!, estaban espantados. Entonces, llevábamos el documento, ya las cámaras de televisión estaban preguntándose cómo estaban esas mujeres ahí, y entonces yo le dije a Vanoli: "mire doctor, estuvieron cinco años en la heladera los políticos, los que están presentes les quiero dar un documento a cada uno". Y les dimos un documento a cada uno de los políticos que estaban ahí diciendo lo que habíamos hecho las Madres. Y así, cada vez que se reunió la Mulpartidaria, las Madres estuvimos presentes. Entrando, luchando, por la puerta de atrás, por la de adelante, con invitación. Y a todos los políticos, les quiero decir, les dijimos lo mismo: no hereden los 30.000 desaparecidos, no heredan este horror porque este horror los va a sepultar a ustedes mismos. Esa tarea incansable que tuvimos que hacer con los políticos que no querían escuchar, pero que no querían escuchar porque en parte, también eran responsables de la desaparición de nuestros hijos. En parte también fueron responsables porque se callaron, porque silenciaron, porque apoyaron. No nos tenemos que olvidar que los radicales fueron los que más hombres le pusieron a la dictadura. No nos tenemos que olvidar que la mayor cantidad de intendencias eran radicales en la época de la represión. No nos tenemos que olvidar que los peronistas también tuvieron su parte porque Luder, con ese decreto de exterminio, también tenía su culpa. Y por eso es que ellos no nos querían apoyar, que no les importaba heredar los desaparecidos porque era también parte de su propio trabajo anterior. Porque ellos no estaban de acuerdo para nada con que nuestros hijos se opusieran a ese plan económico que casi es el mismo de hoy; ese plan terrible de Martínez de Hoz que llevó a que desaparecieran 30.000 personas en este país.

En 1983, la efervescencia de los partidos políticos hizo que las Madres tuviéramos que trabajar el triple. Entrevistas, pedidos, reclamos. Vino la elección. Ganó Alfonsín. Lo fuimos a ver. Nos recibió muy bien, muy simpático, muy norteamericano él con su sonrisa. (Yo me doy cuenta ahora de esto, no crean que ese día me dí cuenta, para nada. Se los digo ahora para hacerme la agrandada. Pero ese día me creía que era simpático en serio). Y nos recibe y nos da esperanzas. Cuando asume como presidente nos vuelve a recibir, y nos dice que él creía que había desaparecidos con vida, que qué

Nuestros hijos...

pensábamos nosotras. Nosotras le dijimos que también creíamos que había desaparecidos con vida. Y él, que los iba a buscar. ¿Y saben qué hizo para buscarlos? Le mandó un radiograma a cada uno en el Ejército para preguntarles si sabían algo de los desaparecidos. Y ellos le dijeron que no, con el descaro que los caracteriza. Esa es la manera en que los buscó.

Ese año las Madres hicimos las siluetas. Esas siluetas eran la presencia de los desaparecidos en la calle. Ese año también sacamos nuestro primer afiche, donde reivindicamos la lucha de nuestros hijos; y en ese afiche decíamos que esos hijos habían luchado junto a su pueblo por la justicia, por la libertad, por la dignidad. Y también las siluetas. Y también las fotografías, que era tener a los desaparecidos en la calle para reclamarle a esos políticos que se habían animado a heredarlos como desaparecidos que nosotras no nos íbamos a callar, no nos íbamos a conformar y que no los íbamos a dejar descansar.

El gobierno constitucional creó esperanzas y el primer mes creó la CONADEP. También nos vinieron a ver para esa CONADEP, que nosotras rechazamos porque no era

MADRES
DE PLAZA DE MAYO

A un año de gobierno radical y de impunidad militar

¿DONDE ESTAN LOS DESAPARECIDOS?

ASESINOS

EL JUEVES 6 DE DICIEMBRE

PARA QUE SIRVIO LA CONADEP

¿QUIEN LAVARA LAS CULPAS DE LA IGLESIA?

PIDA ... OSCO

Primer número del periódico de las Madres, diciembre de 1984.

una comisión —ustedes lo saben— que habíamos elegido nosotras, no la eligió el pueblo, no la pidió el pueblo, sino que era un aparato que creó Alfonsín, que lo necesitó para ganar tiempo. Porque los organismos estábamos cohesionados, habíamos hecho muchas Marchas (por la Vida, por la Libertad) que eran enormes y era una manera —después que habíamos crecido, de buscar un solo hijo a buscar a todos los hijos, después que habíamos crecido en esto de no reclamar ya por uno sino por todos— de volver otra vez a la lucha individualista, característica muy importante de los radicales; que cada uno se ocupara de lo suyo. Y muchas de las Madres, que habíamos entendido perfectamente que teníamos que ser todos o ninguno y que nosotras los buscábamos a todos, se empezaron a cuestionar si no había que ir a la CONADEP, y algunas de ellas fueron a la CONADEP pero nosotras no entregamos nuestro material, ni fuimos a la CONADEP, y en nuestro documento dijimos: no le vamos a firmar un cheque en blanco a Alfonsín porque no sabemos qué va a hacer con las 50.000 páginas que tiene, porque tampoco sabemos que hizo con todo lo que había en los tribunales, de todos los años pasados, y porque sí sabemos que confirmó a los jueces cómplices del proceso anterior para que sigan haciendo lo mismo ahora. También sabíamos que estaba ascendiendo a los militares y también sabíamos de muchas de las complicidades que se estaban tejiendo. Por eso no aceptamos a la CONADEP ni fuimos a la marcha. Fuimos las únicas que no fuimos a la marcha de la CONADEP.

También ese año empenzó a funcionar nuestro Frente

de Apoyo y tuvimos nuestro primer periódico. Ya fuimos más ambiciosas. Ya queríamos tener nuestro pensamiento en la calle. Y un grupo de periodistas, que dicidió apoyar nuestra línea, comenzó a trabajar sobre el periódico. Ya teníamos entonces el Frente de Apoyo; antes se había constituido nuestro Equipo de Asistencia Psicológica; y también comenzábamos a tener algunos abogados que se acercaban a nuestra casa, porque hasta ese momento las Madres no teníamos abogado, porque nunca creímos en lo jurídico, porque siempre nos dimos cuenta que los pueblos no pueden solucionar su lucha jurídicamente. Los pueblos, la única manera que tenemos para solucionar nuestras cosas es luchando, es movilizando, es participando, es accionando, con la lucha de la base del pueblo. Los gobiernos nos pueden hacer creer, o nos pueden decir que todos estos problemas se resuelven

Marcha de las máscaras a tribunales, 25 de abril de 1985.

jurídicamente, mientras ellos nos atacan jurídicamente.

Y políticamente las Madres seguimos trabajando. En el '85 los juicios, que fascinó a mucha gente, que fascinó a la gente en el exterior, que se hicieron bajo el Código de Justicia Militar en tribunales civiles, que se hicieron sin el asesino en el banquillo, que se hicieron eligiendo determinada cantidad de testimonios en los que no se tocaba ninguna multinacional (no por casualidad Strassera eligió los testimonios que eligió), en ningún momento se nombró la complicidad de las multinacionales (Coca-Cola, Pepsi, Papel Ledesma, y bueno, no alcanzaría la noche para nombrarlas a todas). Y las Madres fuimos al juicio, el día que se inauguró. Cada día, después, teníamos una tarjeta para ir nosotras. Y el día que supuestamente se iban a dar las sentecias, que se pidieron grandes antes de las elecciones de diputados que hubo

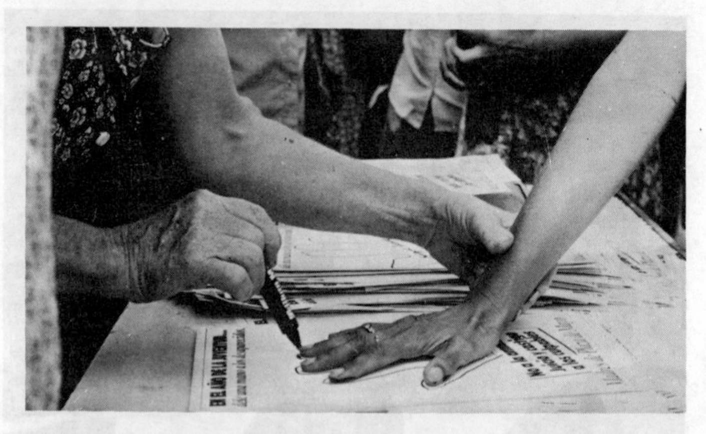

1985. Campaña "En el año de la juventud, déle una mano a los desaparecidos".

en el '85, en noviembre, y que 15 días después de las elecciones, ya no eran las condenas que nos habían dicho que iban a pedir. Y en el juicio, cuando se dictó la primera absolución, yo estaba presente, había discutido mucho con Strassera para ponerme el pañuelo porque no me dejaron usar el pañuelo, porque decían que no era un acto político; entonces, yo me lo sacaba y me lo ponía acá y venía Strassera y me lo hacía bajar más y cuando se

Toma de la Casa de Gobierno. Junio de 1985

iba él... hasta que me sacaron uno, pero como me había llevado varios en la pollera, me sacaban uno y sacaba otro de la pollera. Esa era la pelea, ¡sí!, porque, ¡qué tenía un pañuelo en la cabeza! Yo decía: toda esta gente que está con sombrero acá, por qué no se lo hacen sacar. Los policías estaban con las gorras. No, era el pañuelo blanco. Y yo le dije: doctor Strassera, lo que pasa es que el pañuelo blanco va a ser la única condena en este juicio. Y cuando dictó la primera absolución, me levanté y me fui del juicio. Lo que lamento es que me fui sola, porque tampoco se levantaron los compañeros de los otros organismos que yo esperaba que se levanten. Me fui sola del juicio, acompañada de muchos periodistas que preguntaban por qué me iba, y entonces les dije que me iba porque eso era una vergüenza, porque estaban absolviendo a asesinos en la cara del pueblo y en la cara del mundo.

En 1985, le pedimos una entrevista a Alfonsín, por esto de las absoluciones, todas las Madres del país. Nos dio una entrevista para el 24 de junio, que era el día de Gardel. Las Madres del país viajaron y 25 Madres fuimos a la Casa de Gobierno a las 6 de la tarde y Alfonsín dijo que no nos podía atender, porque iba al Colón a escuchar a Gardel. Claro, Gardel no le iba pedir nada, y nosotras sí. Pero decidimos que nos íbamos a quedar, y que lo íbamos a esperar. Y así tomamos la Casa de Gobierno por 20 horas. Nos quedamos a dormir; llevamos los colchones, el té, el café, las mantas. También vinieron los periodistas. Y nos quedamos a esperar que alguien nos atendiera o que alguien nos dijera qué era esto de citar a las Madres un día especial y que ese presidente nos diera la espalda. Fue un hecho político de demostración de cómo, sin ningún tipo de fuerza, sin ningún tipo de violencia, pero con mucha idea clara de qué queríamos, se podía tomar una Casa de Gobierno para reclamarle al que nos estaba gobernando qué era lo que estaba haciendo. Tuvieron que cambiar la entrada de la Casa de Gobierno a la otra mañana porque no podían entrar por que estábamos las Madres acostadas. A las 2 de la mañana le dí asueto al personal porque no los íbamos a dejar limpiar, les dije que se fueran para la casa que les dábamos asueto. Y así mostramos cómo hay muchas cosas que se pueden hacer, que hay muchas cosas que se pueden cambiar cuando uno tiene claro qué quiere, a dónde va y por qué está.

En 1985 hicimos esa tremenda marcha de las manos, "Déle una mano a las desaparecidos". Y miles y miles de manos de todo el mundo se extendieron para que después las colgáramos, en la Avenida de Mayo y en la Plaza, mostrando cómo había tanta solidaridad y tanta compresión para la tarea que hacíamos, que era pedir una mano para ellos, para nuestros hijos, para los únicos impulsores de esta lucha, para los únicos que son los que nos dan la fuerza, por lo cual tenía tanto sentido lo que estábamos haciendo.

En 1986, hacemos la Marcha de los Pañuelos y hacemos campañas, porque comenzaba el Punto Final. Y el Punto Final no empezó por el Punto Final de la Ley; el punto final comenzó cuando Alfonsín, en sus primeros meses de gobierno, nos empezó a mandar telegramas a las Madres de Plaza de Mayo diciendo que nuestros hijos

1986. Marcha en Bahia.

estaban muertos en tal o cual cementerio. Y a algunas de nosotras nos mandaban cajas con restos humanos diciendo que eran nuestros hijos. Y hubo que reunirse, y hubo que llorar, y hubo que desesperarse, y hubo que tomar decisiones de rechazar las exhumaciones. Porque si aceptábamos la exhumación de esos muertos en enfretamiento, si aceptábamos esa muerte sin que nadie nos dijera quién los mató, sin que nadie nos dijera quién los secuestró, sin que nadie nos dijera nada, era volverlos a asesinar. Y también fuimos el único organismo que hoy todavía sigue rechazando esa vergüenza que significa que a uno le quieran entregar un muerto, diciendo que murió en un enfrentamiento (que ya es salvar a los militares), sin saber siquiera cómo llegó a ser un muerto o un asesinado. No es fácil para una madre tomar esta decisión, para nada. Hubo muchos días de discusiones, por qué había que rechazar esas exhumaciones. Ese era el punto final. Que todos nosotros aceptábamos la muerte, así porque sí. El punto final era una plaquita en cada lugar diciendo "aquí estudió", "aquí trabajó". Nosotras también rechazamos eso porque sentíamos que también era el punto final. Lo único que aceptamos es que se diga: aquí, los que estamos vamos a seguir luchando igual que ellos. A nosotros no nos interesa que acompañen a las Madres, nos interesa que acompañen a las Madres pero, por sobre todo las cosas, que imiten a los desaparecidos. Que traten de ser como ellos, que lucharon por su pueblo, para su pueblo y con su pueblo.

Y también ahí se empezó a trabajar con la recepción económica. Ya vinieron los primeros sondeos, ya vimos cómo estaban haciendo los políticos que querían, por sobre todas las cosas, esto, el Punto Final: exhumación de cadáveres, reparación económica y homenajes póstumos, tres cosas que las madres rechazamos oponiéndonos, dentro de los cementerios —como pasó en Mar del Plata— a la exhumación. Porque ese mismo juez, que era un traidor, ese mismo juez es un corrupto, ese mismo juez hoy no puede, no debe estar ocupando ese lugar, no debería estar ocupando ese lugar. Y nos costó mucho trabajo, también, oponernos a todo esto. Nos costó juicios, nos costó condenas. Y vino el Punto Final, por ley, y la Obediencia Debida, por ley. Pero como nosotras estamos luchando contra ese sistema, no aceptamos las leyes que nos quiere imponer este gobierno. Las rechazamos todos los días y a cada rato. Y como las rechazamos, estamos luchando para que se los siga condenando, para que alguna vez se le dé la cárcel que merece este horror y esta cosa tan tremenda que pasó en este país. Pero no es que queremos que no se olvide porque no queremos que olviden a nuestros hijos. No queremos que se repita. No queremos la corrupción de los políticos que nada más piensan en la interna. No queremos la corrupción de los jueces. No queremos una Suprema Corte, que va bajando cada vez más la cabeza y se va postrando cada vez más.

Tuvimos una lucha muy larga. Tenemos una lucha muy larga. El trabajo que hacemos las Madres es un trabajo para el futuro, pero lo estamos haciendo antes y ahora en el presente. El que me presentó en esta charla decía que hay que estudiar al enemigo, hay que estudiarlo para después saber cómo combatirlo. Pero yo quiero decir que mientras uno estudia no hay que dejar de combatir. Hay que estudiar para combatirlos, pero cuando uno estudia no hay que dejar de combatir, porque el enemigo nunca descansa. Y creo que en este país pasó mucho de esto. Que mucha gente, con miedo, o creyendo que era cómplice, porque también la culpa colectiva fue lo que intentó este gobierno: "todos somos responsables, todos somos culpables". No es cierto. El pueblo no es culpable, ni es responsable. Si el pueblo tuvo miedo fue porque la dictadura lo implantó. Hay otros responsables: los que hicieron la Obediencia Debida y el Punto Final. Esos son los responsables. Que lo hicieron porque tienen que perdonarse ellos mismos; no sólo están perdonando a los militares, también hacen su propio perdón. Ellos lo necesitan, porque han sido muy responsables, muy culpables, muy cómplices. Por eso hacen la ley, no se la hacen sólo a los militares.

Tenemos equipo de psicólogos —como dije antes—, tenemos abogados, periodistas, un equipo que filma todos nuestros trabajos, de video. Y también las Madres tenemos reconocimiento de nuestro pueblo, el apoyo, la compresión, que es indispensable para nosotros para seguir, para seguir en esto que estamos. Han puesto a calles de Madrid, de Maidalea, de Almería el nombre de Madres de Plaza de Mayo. También hay en Holanda plazas que se llaman Madres de Plaza de Mayo. Hay escuelas que se llaman Madres de Plaza de Mayo. Y también va a haber una en el país que se llame Madres de Plaza de Mayo, parece que va a ser en Luján. Realmente estamos muy emocionadas con esto nosotras, que no sea sólo fuera del país donde la tarea nuestra, que es mucha, de todos los días. Y no es para nosotras el reconocimiento; en la medida que se habla de las Madres, se habla de los hijos. Si nosotras estamos en esto es porque ellos —como decimos siempre— nos parieron. Es porque ellos están en cada acción, en cada lugar. Las madres somos un movimiento que es como una cadena, cada Madre es un eslabón; no puede decaer, no se le permite que decaiga, que afloje.

También nos han dado algunos premios, "Por la Lucha", "Por la Libertad", "Por la Justicia". Visitan nuestra casa, permanentemente, de todo el mundo, artistas, juristas, periodistas, representantes de iglesias, mujeres de organismos de otros países de derechos humanos nos invitan. Hemos hecho muchísimos viajes a Europa, invitadas permanentemente de distintos organismos. Tenemos grupos de apoyo en Europa que nos reunimos una vez por año. Una vez por año, con estos grupos de apoyo, para ver cómo vamos a seguir trabajando. En todas partes de Europa la gente nos apoya, nos entiende. Nuestro periódico es traducido a varios idiomas, es repartido en los distintos países. Asistimos a congresos, a encuentros. Tenemos editados tres Poemarios, varios libros.

Y también se realizan tesis sobre las Madres. Las tesis son a veces psicológicas, a veces sociológicas. Nos hacen muchas preguntas que, a veces, no nos habíamos hecho nosotras. Pero les quiero decir que esa Plaza que nos dio el nombre, que es la Plaza donde se gestó nuestra independencia y nuestra libertad, y que es donde se va a seguir gestando. Esta tarea que tenemos es una tarea que, esperamos, se amplíe y se agrande cada día y cada hora. Es necesario que los asesinos sean condenados. Es necesario que cada uno de nosotros no sienta que está perdiendo la libertad cuando sueltan, o desprocesan —como se dice ahora en vez de decir que los perdonan a los amnistían— a uno de ellos. Nosotras pretendemos que todos los hombres y mujeres que trabajan codo a codo con nosotros sean los que hereden esta lucha, los que hereden esta tarea, los que hereden nuestra Asociación, nuestro pensamiento y nuestra manera de trabajar. Nosotras, estamos seguras, no vamos a ver el fruto de este trabajo. Tampoco trabajamos para el espacio político ni para el poder. Trabajamos convencidas de que estamos siguiendo la lucha que empezaron los que hoy no están, los 30.000, las compañeras, los hombres y mujeres que todavía hoy están en nuestras cárceles. Estamos convencidas que estamos seguiendo esa tarea, de una manera distinta tal vez, pero con los mismos objetivos. Hemos sido siempre distintas en todo; nuestro accionar, en la forma de trabajar, en la forma de conducirnos, en la forma de reunirnos. Nuestras reuniones son distintas a todas, estoy segura; entre mate y charla las Madres hacemos todas nuestras tareas.

Como hemos sido distintas en todo, también somos distintas en nuestro proyecto de futuro. Pretendemos que se organice nuestro pueblo, que se formen y solidifiquen las organizaciones de base populares, en cada barrio, en cada lugar, los trabajos colectivos, para que otra vez esa efervescencia de los años '70 se vuelva a notar en nuestro pueblo, que parece cansado, que parece derrotado, que parece deprimido, pero que cuando lo tocan salta y sale a la calle. Lo mostramos en abril de 1987, cuando nos engañaron y nos traicionaron; lo mostramos con la huelga de los docentes, ese brillante clase que nos dieron los maestros en la calle. O sea que el pueblo, cuando tiene motivos y dirigencia clara y honesta que los convoca para algo, seguramente va a salir. Pero para esto hay que estar organizado. Hay que organizarse, hay que trabajar, hay que sentir que cada uno de nosotros tiene que ser —como dice una consigna por ahí— su propio soldado, en el buen sentido de la palabra, de lo que quiere, de lo que proyecta, de lo que ambiciona para su pueblo, que es nada más que lo que ambicionamos para nosotros mismos. Nuestros hijos marcaron un camino, de liberación, de justicia social, por la cual luchaban. Todos nosotros estoy segura que queremos lo mismo. Pero, ¿qué hacemos por eso que queremos? Qué estamos dando de nosotros mismo por eso que queremos, por eso que ambicionamos? Cada mañana, cada vez que nos despertamos, las Madres pensamos en este día de trabajo al que nos convocan nuestros hijos, esos que están en la Plaza, esos que nos parieron a este mundo, que nos parieron a esta actitud, a esta actividad, a esto que somos hoy las Madres.

Esta charla a la que hoy nos habían invitado nos puso a recordar muchas cosas de las que vimos y de las que pasamos. Había miles de anécdotas para contar, había miles de momentos para vivir con ustedes. Pero tal vez hayan algunas preguntas que ustedes quieran hacer. Yo les digo que las Madres, mientras tengamos vida, mientras tengamos un soplo de aliento, vamos a seguir luchando por la vida de nuestro pueblo. Por nuestro pueblo, para nuestro pueblo, junto a nuestro pueblo, para que algunas vez tengamos la educación popular que nos permita acceder a un gobierno popular que sea realmente el representante de lo que todos queremos, y no como ahora, que sólo estamos votando, que no nos permitan elegir. Algún día tendremos ese gobierno popular que con justicia condenará a los asesinos que tanto horror nos hicieron vivir durante estos años. Nada más.

Capítulo 2

Historia de las Madres de Plaza de Mayo
Segunda parte

Durante todo el mes de octubre de 1995, las Madres nos hemos reunido en nuestro Taller de Escritura para completar, entre todas, la conferencia sobre nuestra historia que se acaba de leer. Pretendemos hacer un resumen de lo que hemos vivido en estos siete años tan importantes para nosotras.

A fines del año 1988, hubo un alzamiento de militares "carapintadas" en Villa Martelli, que como el anterior de 1987 (y como el posterior de 1989, ya en el gobierno de Menem), trataban de asegurar la impunidad del partido militar y afianzar su poder. El gobierno fingió combatir a estos grupos con tropas "leales" al sistema democrático, cuando en realidad sólo hizo pactos y concesiones. Las Madres denunciamos esta complicidad cívico-militar con una consigna muy clara que cantamos en cada marcha, y que es una de las bases de nuestra acción: *no hay rebeldes, no hay leales: los milicos son todos criminales.*

En Enero de 1989 un grupo de militantes de izquierda del Movimiento Todos por la Patria hizo una incursión en el Regimiento de La Tablada.La represión a este grupo fue brutal, y la información dada a la ciudadanía por demás confusa y fragmentaria. Gran parte de la gente, incluso de los partidos políticos y de los organismos de de derechos humanos, se abrió del problema. Pero las Madres, que habíamos aprendido a leer las entrelíneas de los medios, preguntamos públicamente ¿qué pasó?, y comenzamos a denunciar lo que los pocos sobrevivientes nos contaban: que hubo fusilamientos de los jóvenes que

15 de septiembre de 1988.

1989

se entregaban con bandera blanca y con los brazos en alto, que hubo desaparecidos. El juicio, que se les realizó a fines de año, sería igualmente vergonzoso. Todo esto nos parecía un antecendente muy terrible, muy peligroso, el enterramiento final de toda la democracia.

Pero no hubo respuestas. El gobierno de Alfonsín aprovechó esta acción del MTP para crear un Consejo de Seguridad y proyectar una Ley Antiterrorista que nosotras repudiamos con mucha fuerza, denunciando que era sólo un instrumento para reprimir al pueblo que empezaba ya a rebelarse muy fuertemente contra la terrible crisis económica. Eran las épocas, por ejemplo, de los saqueos a los supermercados, hechos por personas desarmadas y hambrientas a las que se atacaba ferozmente. Poco después se declaró el Estado de Sitio, y fue por entonces, en la marcha del 24 de marzo, cuando las Madres proclamamos que "cuando se asesina a un hombre se asesina a la democracia." El gobierno se caía a pedazos, a tal punto que los radicales adelantaron el cambio de mando varios meses, casi tan pronto se supo que el nuevo elegido era el justicialista Carlos Saúl Menem.

En medio de aquel clima tan represivo, las represalias del sistema contra nosotras fueron muy duras. En abril, un "Comando Héroes de La Tablada", del Ejército Argentino, hizo llegar a Hebe Bonafini, nuestra presidenta, un telegrama en el que se le comunicaba que había sido condenada a muerte y que se la ejecutaría donde se la encontrase. Fue la primera de una serie de intimidaciones y atentados que duraron todo el año, que afectaron también a madres del interior del país y que tuvo su pico más alto cuando un auto intentó atropellar a Hebe en la vereda, y ella salvó milagrosamente su vida. La campaña de solidaridad del exterior, que fue muy intensa gracias a los grupos de apoyo de todo el mundo, frenó un poco estos ataques, al menos hasta los cruentos asaltos a nuestra casa de 1991.

Lo cierto es que el nuevo gobierno asumió a mitad de año, y las Madres, como hicimos con Alfonsín, pedimos de inmediato una entrevista con Menem. Esta entrevista nunca nos fue concedida. Mucha gente tenía muchas esperanzas en el nuevo gobierno; nosotras no: de entrada vimos que, por mucho que Menem intentara diferenciarse de los radicales, los lineamientos de su política eran los mismos, que sólo los profundizaría. "Impunidad y hambre van de la mano", denunciamos en un Encuentro Nacional de Madres que celebramos ese año. Y en efecto, al mismo tiempo que se diseñaba un plan económico cruel como pocos y se empezaba a rifar el patrimonio público en el plan de las privatizaciones, empezó a hablarse del indulto a los pocos militares condenados, el último golpe que necesitaban los milicos para asegurar la impunidad después del Punto Final y la Obediencia Debida.

El Indulto, que es una aberración desde todo punto de vista, no se anunció claramente desde un primer momento. Sin embargo, las Madres comenzamos a manifestar *ya* nuestra oposición en una serie de marchas muy fuertes y , muy seguidas, que denunciaban esta trampa que se nos tendía: el perdón a los asesinos de nuestros hijos. Nuestra consigna fue una vez más el "NO OLVIDAREMOS, NO PERDONAREMOS, al que cargamos aún más de contenido al afirmar que, en efecto, el que no perdona ya sabemos que no olvida; pero el que sólo dice que no olvida muchas veces perdona. También organizamos una campaña que preguntaba a la ciudadanía: ¿SABE USTED DONDE ESTAN AHORA LOS ASESINOS DE NUESTROS HIJOS? ¿DONDE VIVEN? ¿QUE CARGO OCUPAN?

Bueno, aun con toda esta oposición, a la que se sumaron vastos sectores del pueblo, el indulto salió en Febrero. Fue una cachetada muy dura, la certeza de que el gobierno estaba con los militares y no con la gente, que se ponía del lado de los asesinos de nuestros hijos para poder reprimir todo el que se le opusiera. Las Madres reaccionamos con la consigna del acto que hicimos el 24 de marzo, SEGUIMOS RESISTIENDO. Reaccionamos con la consigna del acto del 30 de abril, cuando cumplimos trece años de lucha: AZUCENA, SEGUIMOS TU CAMINO. Estuvimos presentes en el juicio que se le siguió al capitán Astiz en Francia, donde se lo condenó a cadena perpetua por el crimen de las dos monjas, como actualizando todas nuestras principales consignas: JUICIO Y CASTIGO, FUERZAS ARMADAS ASESINAS, CARCEL A LOS GENOCIDAS. También denunciamos este atropello del indulto ante el Parlamento Europeo, en donde se constituyó un Grupo de Apoyo a nuestra lucha. Y sin embargo, quizás el acto más fuerte fue el que hicimos el nueve de julio de ese mismo año 1990, frente a la Catedral de Buenos Aires, donde el gobierno celebraba el Te Deum poco antes del desfile militar, como celebrando la complicidad de la Iglesia, los militares, el gobierno y el poder económico. Las Madres aparecimos de pronto a la puerta de la Catedral y a cada cosa que decía el Cardenal le respondíamos NO MATARAS, NO VIOLARAS, NO ROBARAS, levantando cada madre la foto de un desaparecido. Y cuando se retiraban de la misa, les gritábamos a uno por uno: NI OLVIDO NI PERDON, CIEN AÑOS DE PRISION.

Desde nuestros comienzos hemos estado muy ligadas con artistas, y podemos decir que hemos crecido mucho junto a ellos y al mundo que nos abrieron.

En 1989, se filmó y estrenó la película *La Amiga*, un film de Jeanine Meerapfel con guión de nuestro querido y admirado Osvaldo Bayer. Es la historia de una Madre, y aunque es en principio una ficción, refleja con total fidelidad nuestro camino, nuestra forma de lucha, nuestra línea. Para interpretar ese personaje, la actriz Liv Ullman nos pidió compartir nuestra vida cotidiana y así conocimos a un ser excepcional, que nos comprendió hasta en los mínimos detalles de una manera asombrosa. La manera de ponernos el pañuelo, por ejemplo, la manera en que caminamos en la Plaza o hablamos en el almuerzo, gestos simples pero totalmente nuestros, están reflejados en su actuación y son la evidencia de la agudeza y el amor con que ella nos captó. Muchos otros artistas vinieron desde entonces: Jane Fonda, Pete Seeger, Paco Ibáñez, Javier Ribalta, Rafael Alberti, Sting, Vanessa Redgrave compartieron momentos en nuestra casa y nos dieron grandes apoyos.

Pero apenas un año después, nosotras mismas nos decidimos a crear un Taller de Escritura, en el que empezamos a participar cada vez con más entusiasmo. Nunca se nos había ocurrido que podíamos escribir, relatar nuestras vivencias con nuestras propias palabras, hasta que un joven escritor, Leopoldo Brizuela, nos lo sugirió. Leopoldo, que coordina el taller hasta hoy, es un joven que conoce nuestro movimiento casi desde que se inició, de manera que su comprensión de nuestra causa y nuestras vidas es casi total. Lo que él había intuído empezó a ser una realidad, y hasta empezamos a publicar libros —ya vamos por el cuarto— y a recibir muchos reconocimientos en el país y en el exterior, que nos llenan de sorpresa. Este taller, que nos ha servido para unirnos y para conocernos aún más entre nosotras, nos dio pie para abrir otros: uno de plástica, que coordina Carmen D'Elía, otro de eutonía y sensopercepción que coordinó Adriana Rovella, etc. para seguir creando en esa etapa de la vida en que, según el sistema, habríamos debido convertirnos en seres completamente pasivos.

Pero tenemos que hablar de otro crecimiento nuestro, quizás el más importante: poco a poco, las Madres empezamos a levantar las banderas de nuestros hijos. ¿Que queremos decir con esto? Que ya no sólo denunciamos las atrocidades de que fueron víctimas: ahora traemos a la memoria el sentido tan claro de su lucha, los reivindicamos como militantes que dieron su vida por una utopía y por no tener, al fin y al cabo este país que hoy tenemos.

Así, cuando en agosto de 1990 el presidente empezó a tantear la posibilidad de implantar la pena de Muerte, las Madres desatamos una gran polémica para evitar la ley, en la que participó muchísima gente. Pero remarcando que la pena de muerte de hecho se practica todo los días, no sólo con los ataques de la policía de gatillo fácil, que diezma los barrios pobres, sino con la cesantía de miles de obreros, con el hambre que hace morir un niño cada veinte minutos en el gran Buenos Aires, etc. Denunciamos en fin que la muerte es el gran basamento de este sistema, que hace desaparecer a todo opositor.

Y también a partir de 1990, cuando el plan económico

menemista estuvo tan claro y empezaron a sucederse las movilizaciones populares, las Madres empezamos a hacernos presentes en cada una de ellas, a apoyarlas en todos lo que podíamos. Muchos de sus líderes hablaban en la Plaza, como corolario de nuestras propias marchas; era una cosa muy fuerte: sentíamos que habíamos conservado *para ellos* la Plaza de Mayo, ese espacio de resistencia a la opresión, en donde así unían su lucha a la de nuestros hijos. En la huelga ferroviaria, por ejemplo, que fue muy importante porque duró 45 días de paro y huelga de hambre, pusimos a disposición de ellos nuestra casa, en donde se reunían y contaban con la asistencia necesaria, nuestro teléfono, nuestro fax, nuestros contactos. También acompañamos de muy cerca las luchas de los jubilados y los obreros de HIPASAM, RIO TURBIO, SOMISA, etc., y las luchas de los estudiantes

Marcha de los jueves en la Plaza, enero de 1990.

para detener la siniestra ley de Educación de este gobierno, que dio por tierra con la posibilidad de la mayoría de acceder a la educación, volviéndola algo sólo para élites y para cimentar esas élites. Fue a propósito de estas marchas cuando el Presidente Menem dijo una frase escalofriante: advirtió a los padres de los estudiantes que manifestaban que si no dejaban de marchar, de luchar, de denunciar, iba a haber muchas más Madres de Plaza de Mayo en la Argentina.

En realidad, las agresiones de Menem contra nosotras habían empezado mucho antes. En enero de 1991, el periodista Jesús Quintero hizo una excelente entrevista a Hebe de Bonafini que vieron millones de españoles; irritado, el presidente nos llamó "traidoras a la patria" e inició contra Hebe un juicio por "desacato" (una figura jurídica arcaica, que no tardaría en derogarse) por haberlo llamado "basura" ante las cámaras de televisión, calificativo que todas nosotras ratificamos y expandimos cada vez que pudimos. Hebe fue sobreseída muy pronto, pero Menem, obcecado, hizo una cosa aberrante: cambiar la carátula de "desacato" por la de "calumnias e injurias" y continuar el juicio, que de hecho dura hasta hoy.

Desde entonces hemos tenido que soportar muchos otros juicios, de parte de los jerarcas más encumbrados del poder: el jefe de policía, porque denunciamos que la policía tortura, el del jefe del ejército, general Balza, que está molesto porque lo desenmascaramos en el exterior, etc. Como verán, la justicia, que no sirvió para aclarar un solo caso de desaparecidos, parece muy dispuesta a servir a todos estos señores que nos atacan a nosotras, las Madres de los desaparecidos. Pero pueden hacernos cien, mil juicios si quieren: en una época en que todo el mundo se desdice o da poca importancia a la palabra empeñada, las Madres tenemos muy clara la importancia de llevar adelante nuestra verdad a las últimas consecuencias.

Pero las agresiones de Menem no terminaron allí. A partir de 1991, como si el Presidente los alentara, comenzaron los asaltos a nuestra casa de Buenos Aires. Hubo cuatro en menos de 45 días. Entraban por la noche, destrozaban todo, se robaban cosas que tenían para nosotros mucha importancia afectiva o que eran fundamentales en nuestra historia, como el rosario que nos dio el Papa, el sable que nos dio el movimiento M 19 de Colombia, las medallas de los chicos de Malvinas, etc. En uno de esos atentados, cuando íbamos abrir la casa, vimos que habían dejado un cable de alta tensión conectado al picaporte. A cada minuto de esos días se sucedían las amenazas, nos seguían, Hebe tenía todo el día un tipo parado en la medianera de su casa, etc. Por fin, en el último de los atentados, se robaron todas las fotos de los milicos que guardábamos en los archivos, guardadas en tantos años de investigación. Creemos que era el objetivo último de sus actos: porque, en el fondo, a pesar de tanta violencia y tanta fuerza bruta, son muy cobardes, y nos tienen miedo.

El treinta de abril de 1992 cumplimos QUINCE AÑOS DE LUCHA Y RESISTENCIA, y trabajamos mucho para organizar todo un mes de actividades. Inauguramos una muestra con todas las obras de arte que han hecho sobre nosotras, presentamos el primer libro de nuestro Taller de escritura, organizamos charlas con colaboradores tan cercanos y tan importantes como Osvaldo Bayer, Tato Pavlovsky y Antonio Gala, un recital con Teresa Parodi y Enrique Llopis y hasta un concurso de cuentos para niños. Y cerramos todo con un acto en la Plaza de Mayo que ha sido uno de los más fuertes de toda nuestra historia, porque las miles de personas tan distintas que nos habían rodeado en cada acto se dieron cita allí, para llenarnos nuevamente de amor, lo único que nos sostiene ante la muerte.

11 de octubre de 1992. Guayasamin y Hebe.

En estos últimos años nuestra organización creció mucho, también, en el plano internacional. Se han formado varios grupos de apoyo, en Canadá, en Australia, en el Parlamento Europeo. Hemos sido invitadas a muchas universidades y congresos, de Alemania a Corea, de Bélgica a Filipinas, de Estados Unidos a Bolivia, para que transmitamos esta experiencia nuestra de la lucha, para que discutamos los puntos de vista de muchísima gente que hace libros o tesis sobre nosotras. Sin embargo, la alegría más grande quizá sea encontrar en cada sitio hombres y mujeres a los que realmente les ayuda conocer esta historia nuestra, víctimas que se han puesto de pie a resistir y que nos toman de referencia.

En el año 1992, como ustedes saben, hubo muchos festejos y celebraciones oficiales en América y España conmemorando los 500 años del "descubrimiento de América". Las Madres, que todo a lo largo de nuestra lucha nos hemos ido acercando naturalmente a la problemática y los reclamos de los pueblos indígenas, preferimos hablar del 12 de octubre de 1492 como del comienzo del primer genocidio, el comienzo de una larga sumisión, de un largo desangramiento de nuestro continente. Se nos invitó a presidir la Cumbre Alternativa que constituyeron en Madrid los organismos no gubernamentales; y unos meses más tarde, participamos de un encuentro muy importante que se hizo en Puerto Real, llamado Foro Popular sobre Emancipación e Identidad Americana. Para las que estuvimos en representación de las demás, será inolvidable sobre todo el acto en que nos tocó hablar: la inauguración de la piedra basal de un monumento a las víctimas del genocidio. Al cabo de un ritual indígena muy profundo, que nos hizo sentir la tierra, el cielo y el fuego ("ese fuego que incendia la nuestras entrañas en la lucha, esa tierra en la que está la sangre de los nuestros, esa tierra que nos da de comer y por la cual moriremos,) sentimos también que los miles, los millones de indígenas asesinados, y los miles de luchadores de Latinoamérica que han muerto por la libertad, se hermanaban y estaban para siempre con nosotros.

Durante el año 1993 participamos de los actos que se realizaron en Alemania con motivo de cumplirse los sesenta años de la asunción del hitlerismo, y para advertir sobre el horror de la posibilidad de un resurgimiento, que de hecho ya está cobrando víctimas. Y también estuvimos en Viena, en el Congreso Internacional de Derechos Humanos de la ONU, con cuya organización tuvimos muchas diferencias desde el primer día, en especial cuando se nos dijo que sería Jimmy Carter el encargado de inaugurarlo; nosotras, que sabíamos muy bien la actitud de Estados Unidos durante la dictadura, empezamos a cantar ¡Carter no, Carter no!, y luego a gritar para impedirle que comenzara su discurso. Y cuando los periodistas nos preguntaban qué eran esos gritos, les decíamos que eran los gritos de todos aquellos que habían sido torturados y muertos por la mano siniestra del imperialismo. Así, los foros paralelos y las distintas movilizaciones callejeras resultaron lo más importante de esa asamblea que, desde mucho tiempo antes de iniciarse, estaba condenada a servir a la estrategia paralizante de los opresores. Pocos meses más tarde, en enero de 1994, cuando se levanta el pueblo de Chiapas, las Madres nos pronunciamos muy claramente en su apoyo: mandamos cartas de solidaridad, juntamos firmas, reclamamos ante la embajada de México para que cesara la represión, denunciando por lo demás la presencia de militares argentinos entre las fuerzas represivas, para hacer ver que el enemigo es uno solo.

Y sin embargo, quizás el punto más alto de esta evolución nuestra más allá de las fronteras, es un encuentro con el que por entonces nos pusimos a trabajar junto con SOLMA, nuestro grupo de apoyo de París. Como les decíamos, al cabo de tantos viajes concebimos naturalmente la idea de reunir sin intermediarios a todas esas mujeres que se nos habían acercado en todos los países del mundo. Así, bajo el título MADRES QUE LUCHAN, conversamos durante tres días a puerta cerrada con madres de desaparecidos de varios países de América y de Saharaui, un pequeño país del norte de Africa; madres de niños que en Ucrania son víctimas de los terribles crímenes ecológicos, mujeres que se unen contra la Maffia en Italia y contra el fascismo en Israel, mujeres que tratan de auxiliar a las víctimas de la guerra en la ex-Yugoslavia o de la represión en Palestina, madres españolas que quieren apoyar a sus hijos en la negativa a participar de los ejércitos o que se unen para salvarlos del infierno de la droga, que como ustedes saben está convalidado por los gobiernos. Por supuesto, vivencias e historias muy diferentes; pero cuando empezamos a oir esos testimonios, notamos que había un denominador común: la muerte. Y que la nuestra era una misma lucha: la lucha por la vida.

Los gobiernos, los sistemas económicos, tienen muchas maneras de hacer desaparecer a una persona cuando no le es políticamente útil, no sólo la que les tocó padecer a nuestros hijos. Y contra todas estas modalidades siniestras sacamos una declaración muy fuerte, entre todas, que recorrió el mundo, y que ojalá sea el principio de un largo camino de solidaridad.

Bueno, volviendo a nuestro país, durante 1993, el gobierno de Menem, que se acercaba ya al final de su período constitucional, empezó a labrar con Alfonsín, la cabeza de la oposición, un Pacto a espaldas del pueblo para perdurar en el poder. Para esto se convocó a una Convención que elaboraría una nueva Constitución Nacional, porque la que estaba en vigencia no permitía la reelección presidencial. Por supuesto, ésta no fue la razón esgrimida por el gobierno: se hablaba de reforma de cosas más profundas. Ante ello, las Madres preguntamos ¿para qué crear una Constitución nueva si la actual ni siquiera se cumple? ¿Si no se respeta la vida, si no se castiga a los genocidas, si se hambrea al pueblo y se lo despoja de sus derechos básicos, si siguen los asesinatos y las desapariciones? Y ya en el primer acto de la Convención, el Te Deum con que se la inauguraba en la ciudad de Paraná, estuvimos allí, solas frente a la iglesia adonde iban llegando los Convencionales, para desenmascarar toda esta trampa. A medida que pasaban frente a nosotras les gritábamos, si eran curas, NO

MATARAS, NO ROBARAS, NO VIOLARAS, y si eran políticos o militares, cada una de nuestras reivindicaciones y consignas.

Poco más tarde, cuando se organizó la Marcha Federal, una movilización de protesta contra el ajuste menemistas organizada desde las bases, que partió de todos los puntos del país para confluir en Buenos Aires, las Madres tuvimos el honor y la responsabilidad de encabezarla junto a sus principales líderes, para demostrar que cuando se quiere se puede. La Marcha Federal fue un éxito, pero tan pronto terminó preguntamos ¿ahora qué?, porque una lucha no puede reducirse a marchas. También apoyamos las luchas que en octubre encararon más de cinco mil presos de todo el país, encabezados por los hermanos Sergio y Pablo Shoklender, quienes inciaron una huelga de hambre y estuvieron dispuestos a llevarla hasta sus últimas consecuencias. Esta huelga fue otra victoria, hizo cimbrar al gobierno, movió el piso al jefe del servicio penitenciario, y sobre todo, sirvió para crear conciencia sobre las aberrantes condiciones en que están las cárceles, y sobre la función que cumplen: las Madres tenemos muy claro ninguno de los culpables de la miseria del pueblo va a parar a la prisión, que las cárceles sirven a propósitos de clase y a la perduración del sistema. Sergio Shoklender, que ya había realizado una lucha muy hermosa para abrir espacios de libertad y de aprendizaje dentro de ese horror, estableció entonces una relación muy estrecha con nosotras; y cuando en agosto de 1995 se le permitió salir durante el día, tuvimos la alegría de contratarlo y de que empezara a trabajar en nuestra casa, informatizando el archivo.

En medio de este clima de rebelión popular —que tuvo muchos otros focos, tantos que sería fatigoso enumerarlos aquí— el gobierno creó una Secretaría de Seguridad, conocida popularmente como la SS, dirigida nada menos que por Antonietti, un personaje muy siniestro de la dictadura, directamente vinculado con la represión. A pesar de la Secretaría de Seguridad, nunca se ha sabido nada respecto de los brutales atentados a la embajada de Israel y a la sede de la AMIA; así que no nos engañemos: todas estas cosas están para reprimir al pueblo, no para darle seguridad. Como en el caso de Rico, un militar golpista que tiene aspiraciones políticas, o en el caso del general Ulloa, gobernador de Salta, o de Bussi, un siniestro genocida que ahora acaba de tomar el gobierno de Tucumán, las Madres nos esforzarmos para que nada, ningún manejo turbio, permitiéndoles "ascender" en el concepto popular.

Y así llegamos a este año de 1995 en que estamos escribiendo, y que comenzó de una manera muy dura para nosotras. Nuevamente, a partir de las declaraciones de un asesino llamado Scilingo, que era subordinado de Massera y revistó en el campo de concentración de la ESMA, se reflotaron los horrores de que fueron víctimas nuestros hijos; los medios reprodujeron profusamente tanto sus dichos como los de otros represores. Y hasta el general Balza, jefe del ejército, se sumó a esta verdadera galería del horror, admitiendo que la fuerza a su cargo había cometido crímenes de lesa humanidad, aunque desligándose de toda responsabilidad personal y sin mencionar el nombre de un solo criminal. La conmoción social, en el marco de las campañas electorales, fue muy profunda, y mucha gente, confundida o no, empezó a elogiar tanto la actitud de estos falsos "arrepentidos" como la de Balza. El gobierno empezó entonces a declarar su intención de "hacer su aporte" con la difusión de las listas de muertos.

Las Madres, aunque muy golpeadas por estos manoseos tan morbosos, tomamos una posición muy clara y muy firme. Denunciamos que todo no era más que una maniobra política del gobierno dirigida, básicamente, a acabar con el tema de los desaparecidos transformándolos en muertos, y a reinsertar a los genocidas impunes en la sociedad civil; y por otro lado, a infundir miedo a todo aquel que se oponga al plan económico —que es el mismo de la dictadura: hasta el ministro de economía, Domingo Cavallo, es el mismo siniestro personaje que en la época de Videla dirigía el banco central.

Encaramos muchas acciones y de muchas maneras. Lo primero fue el rechazo de las posturas del gobierno, proclamando: NOSOTRAS NO QUEREMOS LISTAS DE MUERTOS, QUEREMOS LAS LISTAS DE LOS ASESINOS. Y también: NO ALCANZA CON RELATAR HECHOS ABERRANTES, LO IMPORTANTE ES SABER QUIENES LOS COMETIERON. O, lo que es lo mismo: NOSOTRAS NO QUEREMOS LAS CONFESIONES DE LOS

ASESINOS, QUEREMOS SU PRISION PERPETUA. También enfrentamos a la iglesia, para que no reeditara la complicidad. Fuimos a la Conferencia Episcopal de San Miguel y entregamos un documento: SI USTEDES NO PIDEN LA CONDENA PARA SUS SACERDOTES, ESTAN HACIENDO LO CONTRARIO DE LO QUE HIZO EL PAPA CUANDO SUFRIO EL ATENTADO: EL PERDONO A SU AGRESOR, PERO LO DEJO EN LA CARCEL. Hicimos un acto muy fuerte frente a la ESMA: colgamos un cartel en la puerta que la desenmascara como lo que es: ESCUELA DE TORTURADORES Y ASESINOS DE MECANICA DE LA ARMADA; al final del acto la policía nos reprimió de una manera brutal, como en los peores tiempos de la dictadura. Y cuantas veces pudimos, denunciamos ante los foros internacionales que también Balza, a quien pretenden hacer pasar por democrático, es un encubridor y un asesino; porque ¿qué hizo hasta que se decidió a declarar por televisión? Balza nos inició un juicio por injurias, ante lo cual nosotras no sólo ratificamos lo que pensábamos, sino que lo ampliamos: si Balza estuvo aquí durante la dictadura, impartió órdenes; si en cambio, como se dijo, estaba afuera, les hizo la campaña internacional para avalar el genocidio. Esto es claro, y todo el mundo lo sabe. ¿Necesitaremos repetir que no hay militares malos y militares democráticos? Los milicos son todos criminales.

Bueno, para mantener viva esta convicción, las Madres creamos hace poco una nueva modalidad de lucha: la de los JUICIOS POPULARES ETICOS Y POLITICOS a los genocidas, que empezamos a realizar con bastante frencuencia. Si el sistema no es capaz de juzgarlos y condenarlos, dijimos, hagamos nosotras mismas los juicios en plaza pública, y que los jueces sean todos los que asistan. Estos juicios se hacen con total rigurosidad en cuanto a la forma, tienen todos los elementos de un juicio común. Participan de él víctimas que dan su testimonio: ex-desaparecidos, Madres e hijos de desaparecidos, y todo aquel que sufrió en carne propia la represión. Participan nuestros abogados como fiscales; abogados defensores no hay, porque ninguno de ellos quiere dar la cara, así que la defensa la hace la voz de los propios genocidas, en una grabación. El veredicto, por supuesto la condena, demuestra que a pesar de todos los esfuerzos de los milicos por blanquearse, a pesar de las complicidades de los políticos, el pueblo no los perdonó.

Y así llegamos al momento en que debemos dejar de escribir. Somos ya mujeres muy grandes, pero como nos hemos prometido seguir en nuestro camino hasta el último instante de nuestras vidas, éste no es en modo alguno el final de nuestra historia, ni siquiera un balance. Y sin embargo, quisiéramos aprovechar la oportunidad para hacer ciertas reflexiones.

Desde hace algunos años, las Madres disponemos, habitual o eventualmente, de espacios en muchas escuelas y universidades, en barrios y centros comunitarios, etc. Allí contamos todo esto que les hemos contado a ustedes. Aunque muchos nos convocan como "docentes" nosotras no llamamos a estas charlas "clases" sino simples "transmisiones de conocimiento"; un conocimiento muy nuestro, un saber muy particular que hemos alcanzado a través de una experiencia seguramente distinta a muchas.

Nuestra intención es dar testimonio de la Lucha de las Madres de Plaza de Mayo. Una lucha que es la continuación del camino que emprendieron hace muchos años nuestros hijos.

Las Madres de Plaza de Mayo creemos que cada uno de nosotros debe plantearse una forma de resistencia frente a este sistema, el cual, no es diferente del que ejecutó el genocidio. Tenemos grandes esperanzas puestas en los jóvenes que todos los días se acercan a nosotras. Mucho son los hijos de nuestros hijos. El mensaje que las Madres queremos legar, es la necesidad de la lucha colectiva. Cuando alguien intenta avanzar en el difícil camino de transformar el mundo, está obligado a dejar de lado el egoismo. En un camino de lucha y resistencia, el individualismo no tiene lugar. Las Madres levantamos los ideales revolucionarios de nuestros hijos, y entregamos también la vida para la construcción de un mundo más justo y solidario. Hasta el último día, hasta el límite de nuestras fuerzas, las voces de las Madres seguirán resonando en la Plaza de Mayo y en las calles de este país ensangrentado. No existirá la derrota mientras una Madre con un pañuelo camine por la Plaza, o mientras haya un joven, un curita, un trabajador, una mujer o un niño que se rebelen contra la injusticia y la opresión.

Nuestra herencia, es la lucha sin claudicaciones, la coherencia, la solidaridad, los ideales. Porque ése es el legado maravilloso de nuestros 30.000 hijos combatientes.

Capítulo 3

Acciones, acontecimientos y luchas de los últimos cuatro años

1989. Junto al pueblo repudiamos al terrorismo militar diciendo: **rebeldes y leales son todos lo criminales.**

Frente al hecho de **La Tablada**, las Madres nos preguntamos: ¿qué pasó? Sólo sabíamos que se habían violado todos los Derechos Humanos de los incursores. Que los torturaron, los hicieron desaparecer, los fusilaron.

Enero 26. En el discurso de la Plaza de Mayo Hebe finalizó diciendo que cuando mueran las Madres podrán decir: aquí yace una ilusa, aquí yace una loca pero jamás aquí yace una que traicionó los principios.

Miles de notas contra las leyes represivas en todo el país.

Presentación del libro de Alejandro Diago **"Memoria y esperanza"** que contiene diálogos con las Madres sobre la lucha.

Viaje a **Corea del Norte** al **Festival de la Juventud**, participando en el **Tribunal Antiimperialista** con toda la fuerza de las Madres.

Encuentro XXI de Madres: decidimos hacer movilizaciones en todo el país el 10 de agosto contra la miseria y la impunidad.

Con marchas y solicitadas respondimos contra las leyes de perdón.

Lanzamos la campaña **¿Sabe usted dónde están los que torturaron y asesinaron a nuestros hijos? ¿Qué cargo ocupan o qué actividades desarrollan, dónde viven?**

Miles de afiches llenaron la ciudad con estas preguntas.

A fin de año Menem indultó a los asesinos.

Enero 1990. Jóvenes luteranos de Asia, Europa y América Latina vinieron a la marcha de los jueces, estuvieron en nuestra casa y sacaron un comunicado de apoyo a las luchas de las Madres.

Mayo 1990. En Amsterdam, Holanda, en la Plaza "Madres de Plaza de Mayo" se inaugura una estatua representando a una madre.

En Francia, las Madres estuvieron presentes en el Juicio que se le hizo a Astiz en el que fue condenado a cadena perpetua.

Ante el pronunciamiento de la Iglesia a favor del perdón a los asesinos, las Madres sacamos un comunicado repudiando el planteo de los cómplices de la miseria y el crimen.

Mayo 12 de 1990. En la Plaza de Mayo, recibimos el **Premio Internacional León Felipe al Valor Cívico.**

Enero 1991. Hebe graba con **Jesús Quintero** en Sevilla, España, un programa para TVE que le vale tres juicios promovidos por el Presidente Menem contra Hebe por haberle dicho "basura" en dicho programa.

Se acompaña a los trabajadores en paros, huelgas y protestas. Seguimos recorriendo el mundo denunciando la impunidad de los asesinos y la complicidad de los políticos.

En abril el poeta **Rafael Alberti** visita nuestra casa y nos acompaña en la marcha en Plaza de Mayo.

Recibimos amenazas y los servicios de inteligencia

entran en nuestra casa cuatro veces en 45 días, rompiendo todo y robando elementos de valor en todas las oportunidades. Por estos hechos las Madres recibimos la adhesión de miles de personas.

Las Madres participan en el **Tercer Encuentro Latinoamericano y del Caribe** donde siguen denunciando el atropello.

En **Reus** (Barcelona, España), se realiza el **Festival Internacional de Apoyo a las Madres** donde más de veinte agrupamientos solidarizaron con nuestra lucha.

Fuimos invitadas por la **Universidad de Verano de La Rábida** (Huelva, España) a disertar sobre Derechos Humanos.

Capítulo 4

Discursos de Hebe de Bonafini en los actos de repudio al golpe de estado

DISCURSO EN PLAZA DE MAYO 23 DE MARZO DE 1995

Carlos Saúl Menem, no queremos la lista de muertos. No sea hipócrita, queremos la lista de asesinos, de muchos de los que trabajan con usted, de los que sostienen este sistema económico de perversión. Queremos la lista de asesinos, eso es lo que queremos las madres. La lista de muertos no nos interesa, no nos va a cambiar nada cuando nos digan porque son nuestros propios hijos, esos que asesinaron los que usted perdonó, los que usted indultó. No queremos que hagan política, no los queremos ver en ninguna banca de diputados. Y de una vez por todas diga la verdad, quiere terminar con las Madres, por eso quiere dar la lista de muertos. Pero mientras haya un sólo joven que recuerde a nuestros hijos, ellos no van a morir por más que usted tenga tantas ganas de matarlos.

Nos da mucha bronca pensar que haya gente de las Abuelas y del Cels que se quieran sentar en la misma silla y en la misma mesa que los asesinos. Jamás nos sentaríamos con ellos porque no somos iguales, pertenecen a una raza de malditos.

Queremos saber qué curas confesaron, por decir una mala palabra, cuando bajaban de tirar a nuestros hijos de los aviones y les decían: "Dios los va a perdonar". Los vamos a conocer porque estamos trabajando e investigando. De cada milico que torturó, de cada uno que lo acompaña a Ud. en esta casa que está llena de basura. Basura, basura, basura.

Hoy a las 5 y media de la tarde , frente a la Escuela de Torturadores y Asesinos de Mecánica de la Armada, de torturadores y asesinos que construyen este sistema, que defienden el sistema económico de Cavallo y compañía, que primero van a comprar las armas a E.E.U.U. y después se las dan a países en guerra. No tienen vergüenza. Ponen en peligro nuestras vidas y no les importa. Porque lo más barato que hay en este país es la vida de los seres humanos.

Entonces, a las 5 y media frente a la Escuela de Torturadores y Asesinos vamos a estar ahí para anunciar algo muy importante que vamos hacer el 4 de mayo.

No importa cuántas listas de muertos pidan algunos, no importa que algunas personas cobren reparación económica. Jamás vamos a aceptar que nos reparen con plata lo que hay que reparar con justicia. Las madres amamos a nuestros hijos, los amamos por encima de todo y los hijos para nosotras jamás van a morir. Jamás los vamos a dar por muertos por más que muchos se llenen la boca diciendo: queremos la lista de muertos. Nosotras, que estamos convencidas y sabemos lo que pasó. No estamos locas, no pedimos imposibles. Apararición con vida es una consigna ética de principio. Mientras haya un sólo asesino en la calle, nuestros hijos vivirán para condenarlo en nuestras bocas y en las de ustedes.

DISCURSO EN LA ESCUELA DE MECÁNICA DE LA ARMADA 23 DE MARZO DE 1995

Compañeros, amigos, madres queridas se cumplen 19 años del comienzo del horror. 19 años, y ese día algunos aplaudieron, otros lloraron, otros estuvimos indiferentes. Pero ninguno de los nuestros hace 19 años soñaba con que hoy las Madres iban a estar acá frente a este edificio de la muerte, a este edificio que le llaman escuela, a este lugar que debiera quedar como monumento al horror, como monumento a la muerte, como monumento más grande a los asesinos más grandes que pisaron nuestra patria.

Yo quiero decir compañeros que para nosotros no es nuevo lo que dice Scilingo, que lo dijimos desde el principio, que desgraciadamente sabíamos del penthonaval, que desgraciadamente sabíamos lo que pasaba, que tiraban vivos a nuestros hijos en la base de Punta de Indio con los aviones de la base, poniendo los pies de nuestros hijos en cemento blando y cuando el cemento se secaba los tiraban. Pero claro, los cadáveres volvían a aparecer. Hoy, a tantos años de distancia vuelven y vuelven y vuelven. Y esos cadáveres que aparecieron aquella vez en las playas de Santa Teresita, eran la muestra de que nuestros hijos vuelven, todo el tiempo vuelven en cada uno que grita, vuelven en cada uno que reclama, vuelven en cada uno de ustedes.

Hicieron el terror y no pudieron, los tiraron vivos al mar y no pudieron, los quemaron con gomas y no pudieron, los enterraron abajo de las autopistas y no pudieron. Nosotras sus madres que salimos a la calle hace casi 18 años nunca pensábamos que hoy en este lugar siniestro les íbamos a decir: Asesinos, hijos de mil putas, los odiamos. Los odiamos desde lo más profundo de nuestro corazón. Los odiamos y los odiamos con la misma fuerza que amamos a nuestros hijos. Cómo no vamos a odiar a Scilingo y Vergez, nunca nos vamos a sentar en su mesa, porque es la mesa de los malditos, de los asesinos. Y nos da mucha bronca que haya organizaciones como las Abuelas y el Cels que dicen que se sentarían en la mesa de ellos, de los que asesinaron a más de 30.000 personas. Nosotras, las Madres nunca vamos a aceptar que reparen con plata lo que hay que reparar con justicia. Jamás vamos a propiciar la reparación económica porque el capitalismo todo lo arregla con plata. Ni la plata, ni los muertos, ni los Scilingo, ni los Vergez. La desaparición de personas es un delito permanente que no proscribe porque es un delito de lesa humanidad, por eso nos presentamos con el doctor Barcesat de la Liga por los Derechos del Hombre y nuestros abogados para pedir el procesamiento de Scilingo y ahora de Vergez. También denunciamos la venta de armas que tienen que ver con los tratados, con estos tipos que están acá. Ellos son traficantes de armas y de drogas. Esto es esta escuela.

Por eso hoy aquí está rodeada de tantos jóvenes y tantos periodistas que representan hoy al querido Rodolfo Walsh, de quien nunca nos vamos a olvidar y a los cientos de periodistas desaparecidos que se jugaron la camiseta para hacer lo que había que hacer y a nuestros hermosos hijos que sucumbieron a manos de estos asesinos.

Hijos queridos, hoy aquí el respeto más grande, el amor más grande, la fuerza más grande, ellos van a seguir traficando armas, van a seguir vendiendo a sus hijos que los van a repudiar y condenar. De ellos nunca sus hijos van a estar orgullosos y nostras tratamos todos los días de merecer a los hijos que tuvimos. Cada vez estamos más orgullosas queridos hijos de ustedes, sabemos que acá adentro, en este suelo, aquí en esto que se llama escuela, donde vienen muchos jóvenes a hacer gimnasia, abajo de este pasto, están los cuerpos de ustedes. Pero qué importancia tienen los cuerpos hoy si lo que vale es que sus ideas florecen en cada joven que lucha, en cada uno que reclama, en cada uno que pide, en cada uno que sueña, en cada joven que tiene fantasías. Florecen todos los días en cada niño que nace y su madre tiene esperanzas que nazca en libertad.

Hoy aquí, en este lugar, les anunciamos a todos ustedes que el 4 de mayo en la Plaza de Mayo vamos a hacer durante todo el día un Juicio para condenar a los asesinos y a ustedes jóvenes los nombramos jueces de este juicio. Los jóvenes serán los jueces para condenar a los asesinos. Los jóvenes van a ser los jueces que van condenar y ahí habrá juristas, y habrá alegatos y habrá defensas indefendibles. Pero ustedes serán los mejores jueces, los que puedan condenar mejor, porque son los más claros, porque no quieren nada para ustedes, porque como nuestros hijos, nos enseñaron la solidaridad. 4 de mayo en la Plaza de Mayo recordando los 18 años de las Madres. El 30 de abril cumplimos 18 años con esta lucha. El 4 de mayo en la Plaza, cobijados por un gran pañuelo que un grupo de arquitectos está haciendo. Ahí vamos a estar para mostrarle al mundo que no hay indulto, que no hay perdón, que no hay obediencia debida, que no hay punto final, que no importa cuantas veces decreten la muerte de nuestros hijos, no importa cuántas exhumaciones hagan, no importa cuántas cosas nos quieran imponer. Nosotras ahí con todos los que quieran participar, con los juristas que nos quieran ayudar, haremos la condena pública y política que todo pueblo necesita para poder empezar a caminar un camino de libertad, un camino de justicia que nos sea este que nos propone este plan de Cavallo y Menem que no es otro que seguir matando con Escuela de Mecánica o sin Escuela de Mecánica.

Y para terminar quiero leer lo que leí hace muchísimos años y que tiene un gran significado hoy.

Por estos hijos nuestros, nuestros hijos
pido castigo.
Para los que de sangre salpicaron la patria
pido castigo.
Para el verdugo que mandó esta muerte
pido castigo.
Para el traidor que ascendió con el crimen
pido castigo.
Para el que dio la orden de la agonía
pido castigo.
Para los que defendieron el crimen
pido castigo.
No quieron que me den la mano empapada en sangre
pido castigo.
No los quiero de embajadores, tampoco en sus casas
tranquilos los quiero ver aquí, juzgados, en este lugar.
Compañeros.

DISCURSO EN LA FACULTAD DE DERECHO DE LA UNIVERSIDAD DE BUENOS AIRES 23 DE MARZO DE 1995

Bueno, nosotros estuvimos en la ESMA. Muchos de los que están acá también estuvieron ahí. Fue un acto de reivindicación de nuestros hijos. No soportaron que en su propia les fuéramos a gritar como lo hicimos. Y nos emprendieron a los palos, que es lo único que saben hacer. Pero les pude gritar tantas veces que los odio, tantas veces que todo el mundo los sigue odiando. Que les tenemos un asco impresionante. Ahí, a un centímetro de esas caras cuadradas y malditas. Que no podían articular palabras porque por la obediencia debida no pueden hablar y lo único que hicieron es darnos palos. Pero nunca recibí un palo con más gusto, casi les podría decir que no me duele. Porque me saqué la bronca de toda la semana de escuchar tanta porquería por la radio y la televisión. Desde las lágrimas del presidente Menem y su mujer, que parecen que son los únicos seres humanos que saben llorar por televisión y que le da mucho rédito a las multinacionales cuántas lágrimas lloraron, cuántas contienen, cuántas podían soltar.

Y hay madres que lloramos en la cocinas o en las camas. A las lágrimas nuestras, las lágrimas de las madres de los soldados que fueron asesinados en el Regimiento de Granaderos a Caballo hace poquito, nadie las vio, nadie las contabilizó, porque no le dan rédito ni raiting a la televisión. Además porque son lágrimas que no se venden. Por lo tanto la televisión no las muestra.

Y después Scilingo y las barbaridades que escuchamos de otros organismos. Como la gente del Cels y de las Abuelas. Hablar con Verges en la misma mesa... Y el otro día escuchaba en la radio y pensaba que en la fecha de hoy tenemos tantas charlas y todos nos vienen a buscar. Y les decimos que para el 24 no podemos y nos dicen "bueno no importa para el 25, el 26"... y hasta el 3 de abril estamos dándole al 24 de marzo. Y yo he empezado a juntar bronca para poder decir lo que significa el 24 de marzo. Y cuando empecé a escuchar a Verges por la radio (y ya había escuchado a Scilingo y me había asqueado), empecé a caminar por la cocina y estaba como un oso, iba y venía, y de repente escucho a los que piden la lista de muertos, que se querían sentar en la misma mesa de Verges para que cuente... Y empecé a llamar a la radio para decir la posición de las Madres, porque sino parece que la de ellos es la única opinión. Y el telefóno de Mitre estaba ocupado y llamaba y me daba ocupado, entonces llamé a un amigo y me dio un número de la radio para poder comunicarme. Y por suerte pude, y pude hablar y me dieron la palabra para que la posición de las Madres, muestra posición, también saliera al aire. Porque justamente el 24 de marzo significa la muerte de los sueños de 30.000 jóvenes. El asesinato de sus ilusiones, el asesinato de sus fantasías, el asesinato de sus ganas de vivir, y no podía quedar como que esas eran las únicas palabras. El hecho de decir que no queremos la lista de muertos, que queremos la lista de los asesinos, que lo que hay que reparar con justicia jamás vamos a dejar que lo reparen con dinero. Ahora nos quieren dar 100.000 dólares a cada madre, ¡vaya que suma! Cuando no hay educación, cuando no hay para las madres de las malvinas, cuando no hay para salud, cuando no hay para libros. ¡Cuánto interés tiene este gobierno en comprar nuestras conciencias! Y no sabe que no va a poder. No importa que haya madres que quieran cobrar, o abuelas o gente del Cels que quieran cobrar, o de la Asamblea Permanente o de Familiares, o todas las organizaciones de derechos humanos que sí están queriendo cobrar, que sí estan propiciando cobrar 100.000 dólares por el asesinato de nuestros hijos. Nosotras, las Madres de Plaza de Mayo, no vamos a permitir jamás que lo que hay que reparar con justicia se repare con dinero. La vida de nuestros hijos no tiene precio, es demasiado grande, no hay plata en el mundo para pagarla. No hay deuda externa que valga, esta es la deuda interna, es la deuda que tienen con nosotros, la deuda de justicia, la deuda de cárcel para los asesinos.

Y ahí estamos, peleando contra viento y marea. Y hasta contra la misma prensa que se confunde y que nos ve en la Plaza con los carteles que dicen: "No queremos la lista de muertos, queremos la lista de asesinos" y mientras nos enfocan con las cámaras el cartel dicen "las Madres están pidiendo la lista de muertos". Están confundidos. Eso es lo que pasa. Que a muchos intelectuales, al gobierno de Menem y mucha gente que estuvo en la Conadep les viene muy bien que salga la lista de muertos, para terminar con las Madres. ¡Qué caray quieren las Madres todavía en la Plaza! Somos un bicho muy molesto y le jodemos a muchos. Porque los que se dicen de izquierda (y lástima que no está Alfredo Bravo acá, porque me gustaría decírselo en la cara, espero que llegue a tiempo) no dijeron absolutamente nada de esto. De las declaraciones de Scilingo, de las declaraciones de Verges, de lo que dice Menem. ¿Y saben, por qué quieren los muertos? Porque la muerte es el final. El capitalismo tienen dos opciones que van juntas. El dinero para pagar la muerte y la muerte misma como el final de una lucha. Todas cosas que rechazamos desde lo más profundo de nuestro corazón. Esta lucha no tiene fin. La empezamos hace muchos años, poca gente, que no eran nuestros hijos.

Si quieren el Che o antes y es como una rueda que sigue girando. No sé si en un libro, si en el marxismo, si en el comunismo, si en al anarquismo, si en el socialismo. Y por qué no el madrismo como dicen muchos. Hay muchos chicos que son madristas, por qué no. Nos miramos en todo y en ese todo estamos avanzando.

Muy geniales eran nuestros hijos y muy grandes. Y nuestros hijos la tomaron y la quisieron llevar a la práctica y no los dejaron. Y hubo silencio y complicidad y dictadura y golpes de militares. Y políticos que fueron a golpear los cuarteles y burócratas sindicales que señalaron golpear a la sociedad. Y lo logramos, muchas veces logramos golpear a la sociedad. ¡Mire aquí estamos, somos las madres de los desaparecidos! Los estamos buscando, por favor. 18 años, todos los días, todas las horas, todos juntos. Sin dejar de estar en ellos. Por eso no queremos los muertos, porque los muertos te llevan a la lucha individual. Es un muerto, una madre, un asesino. Nosotros hablamos de miles de desaparecidos, miles de madres, miles de asesinos. Que no tiene nada que ver con lo otro. Y a eso estamos llegando. Por eso fuimos hoy a la Escuela de Mecánica de la Armada. A decirles ahí, en su propio nido, en su propia cueva: aquí estamos, los vamos a seguir hasta el último día de nuestras vidas. Nos vamos a parar un sólo minuto de investigar dónde están, quién les paga el sueldo, en qué partido militan, qué político se enrosca con ellos como si fuera una víbora, cuántos ocupan cargos en el gobierno, cuántos curas hoy todavía bendicen, hacen casamientos, perdonan pecados y dan ostias, ostias que saben a hiel, a veneno. ¿Cuántos?

Cuántos militares impunes del brazo de Menem, de Alfonsín, de la izquierda que se dice de izquierda y es más derecha que la derecha. De los que se dicen progresistas y sólo firman para que den la lista de muertos pero no son capaces de poner los huevos arriba de la mesa para decir "Señores la lista de los asesinos". Y ahí, ustedes y nosotros. Los que no los votamos, los que no callamos, los que no claudicamos, los que no perdonamos y sobre todos chicos, los que no lucran con el pasado. Porque es un país de quebrados, es un país donde a mucha gente pareciera que le gusta hablar de la tortura, de la muerte, del horror y de los que se quebraron y hablaron como los Scilingos, como los Verges, como miles y miles que hablan porque están quebrados. Pero este país tiene una deuda muy grande, tiene que escribir sobre los que no se quebraron y porque no se quebraron murieron en los campos de concentración. Porque una cosa es un hombre que en un campo de concentración muere por la tortura o fusilado y fue revolucionario hasta el último minuto de su vida y, otra cosa, es un hombre que tenía un compromiso no tan grande como el de nuestros hijos y pudo zafar del campo. Yo hablo de los revolucionarios que no se quebraron y que murieron en manos de los asesinos porque no delataron a ningún compañero. Esta sociedad debe la historia de esos hombres y esas mujeres. Estamos trabajando para que haya alguien que sea capaz de escribir sobre ellos. No es poca cosa ser revolucionario, no es poca cosa sentirse revolucionario. Sin embargo, las Madres nos sentimos revolucionarias.

Por último, quiero hablar de algo que me aterra y es

de cuando escucho hablar de los chicos de la calle. ¿Quién les puso este nombre? El sistema los expulsa a la calle y los marca para siempre. Terminemos con esto y luchemos para que no sigan poniendo parches: casitas para los chicos de la calle, hogares para los chicos de la calle, curas para los chicos de la calle, madres sustitutas para los chicos de la calle. Habrá que empezar, alguna vez, a preparar nuevos planes de estudios en esa facultad para que los que se reciban en ella defiendan a los pobres y a los marginados. Para que esta no sea una facultad para defender solo a los que tienen dinero. Si en cada lugar y en todas partes luchamos todos en este sentido, habrá empezado a nacer el hombre nuevo.

DISCURSO EN NEUQUÉN
24 DE MARZO DE 1995

Madres, madres queridas, compañeras y perdonen que empiece por ellas porque este día es muy especial. Chicos, jóvenes, amigos, compañeros... Este día hace 19 años había gente que se alegraba de que venían los milicos y de eso no nos tenemos que olvidar. Había gente que había golpeado la puerta de los cuarteles y de eso tampoco nos tenemos que olvidar. Había otros que indiferentes tomábamos mate en nuestras cocinas y de eso tampoco nos tenemos que olvidar. Y había hijos que nos alertaban, "mirá mamá, acá se viene la pesada", y de eso tampoco nos tenemos que olvidar. Y hace 19 años empezó el horror, hace 19 años —y aunque bien dicen aca algunos empezó ese día con el comunicado, maldito comunicado número 1. Y ahí empenzaron a aparecer los Scilingo, y los Vergez, y los Astiz y los Rolón y los Massera y los Videla y los Suarez y los "El Tigre", y los nombres falsos, y los comandantes que se llamaban Fernández y la policía que se llamaba Gómez y todos, todos contra nosotros. Contra nuestras familias, contra nuestros hijos esencialmente.

Ayer me decían algunos pibes que parece mentira que uno después de tantos años pueda estar en algunos lugares: el día 20 estuvimos en lo que fue el 7 de infantería de La Plata y ahí ahora funciona la escuela de Trabajo Social y se habilitó una sala de arte, una sala de pintura con algunas pinturas que hacemos las madres. Y ayer estuvimos en la Escuela de Mecánica de la Armada, en el propio nido de hormigas, ahí en ese lugar donde miles y miles de los nuestros sucumbieron en las manos de ellos.

Y las Madres, como todos saben, no queremos la lista de muertos. Porque es rídiculo pedir la lista de desaparecidos porque todos sabemos quiénes son los desaparecidos. Las Madres no queremos plata como nos quieren dar ahora: 100 mil dólares, porque lo que hay que reparar con justicia jamás vamos aceptar que se repare con plata. No hay plata en el mundo para pagar la vida. Queremos la lista de los asesinos. Queremos miles y miles de ellos nos tienen que decir lo que hicieron. Scilingo relató un hecho pero no contó lo que sabe y hay que hacérlo contar. Nosotras nos presentamos en Tribunales porque el gobierno, que coquetea con que no hay listas ya ha dicho que va a decir algo, porque hay un grupo de gente que se le ocurrió pedir las listas. Quieren sacar la figura del detenido-desaparecido. La desaparición forzada de personas es un delito permanente de lesa humanidad que no prescribe, no es como la muerte que sí prescribe. Entonces nosotras no vamos a aceptar.

A veces la gente dice: "bueno, pero hubo final, obediencia debida, prescripción de causas e indultos..." De estos hijos de puta a mí no me importa lo que impongan, ellos son la corrupción y la impunidad. No nos tienen que importar sus leyes, tenemos que tener fuerza suficiente para hacérselas cambiar. Ellos pueden indultar todo lo que quieran, pero si el pueblo no indulta y no perdona les vamos a seguir haciendo agujeros, todos los que podamos. Tratando de condenarlos, públicamente, políticamente, repudiándolos y cuando alguna vez tengamos la justicia, que no esté prostituida y al servicio del sistema capitalista de la mano de Menem y Cavallo, cuando tengamos una justicia en serio, el pueblo va a condenar seguramente como corresponde. Y para eso tenemos que trabajar compañeros.

No compañeros, paredón no, porque desgraciadamente muchos que gritaron paredón hoy están con Menem en el gobierno. No queremos paredón, queremos cien años de prisión.

Nosotros tenemos claro compañeros y madres y amigos, lo supimos desde el primer día, que era difícil la lucha. Desde el primer día nos enfrentamos con el dolor. Al principio con la soledad pero esto no lo hicimos solas, 18 años de lucha manteniéndonos. No lo hicimos solas, lo hicimos con todos ustedes aunque vinieran o no a la

Plaza porque nos acompañaban con el pensamiento, a lo mejor con un poema, con una palabra, pero ahí estaban y nosotras lo sentíamos. 18 años de lucha no los hicimos solas, los hicimos acompañadas de un montón de gente y esencialmente de nuestros 30.000 de los queridos y amados 30.000. De ellos que están aquí hoy, en esas caras, en esos ojos, en esos pelos largos, en esas barbas, en esas sonrisas, en esas chicas que se acercan a besarnos. Ellos son, ahí están. Ustedes son ellos y ellos son ustedes.

Qué importa dónde tiraron sus cuerpos, qué importa dónde los enterraron, qué importa dónde los quemaron. El pensamiento de ellos queda tan libre, vuela y revuela por el país y penetra en nuestros corazones, en los jóvenes que nos aman, en nosotros que luchamos, en el silencio de muchos y en la fuerza y el amor que ponemos las madres en esto que hacemos. Ponemos todo lo que tenemos compañeros. Odiamos al enemigo con toda la fuerza de nuestro corazón. Lo odiamos, lo repudiamos, lo maldecimos una y mil veces. Caerá sobre sus cabezas el odio del pueblo, porque son la vergüenza, porque sus uniformes están machados de sangre, porque sus vidas no valen nada. No van a poder caminar por las calles, los va a odiar todo el mundo y eso lo vamos a conseguir y lo estamos consiguiendo de a poco. Ya no pueden ir a muchos lados. Esta lucha inclaudicable, sin respiro, sin descanso nos da muchas satisfacciones. Sí, haberles gritado ayer en la cara todo lo que gritamos en su propio nido. No importa cuántos palos nos dieron, no nos van a doblegar porque somos muchas las madres. Si cae una habrá otra y otra y otra. Y surgirán nuevas y muchas jóvenes madres que luchan por sus hijos para que vivan en un país libre, en un país justo, en un país que realmente queremos, que querían nuestros hijos.

Cuando pienso o pensamos en esos hermosos cuerpos tirados al mar... Esas hermosas chicas desnudas ante la vista de estos hijos de mil puta... Pero qué importa, si están acá, si están en todos lados, si el pueblo los ama, los ama, las ve. Tenemos sus fotos, no importa qué nombres, nuestra lucha es colectiva, nuestros hijos tienen miles de nombres, hay muchos nombres, miles y miles. Son todos nuestros. Los tenemos dentro de nuestro corazón que se agranda, se agranda con la lucha, se agranda con la fe, con la fe de que tenemos razón y que por eso vamos a triunfar. Porque la razón, la verdad, la ética y los principios nos acompañan siempre y no los vamos a abandonar. Jamás vamos a traicionar la causa. Jamás van a morir nuestros hijos mientras haya un solo hombre y una sola mujer que los recuerde y los nombre. Nunca morirán, nuestros hijos nacen cada día.

El milagro de la resurección se provoca cada jueves en la plaza, ahí resucitan, ahí nacen todos los jueves y viven cada semana y cada día con nosotras. Amados y queridos hijos, nunca los vamos a abandonar, demasiado grandes fueron y nos dieron muchas cosas. Por eso, este 24 de marzo es tan fuerte. Por eso hubo tantos actos y tantos jóvenes que de miles de manera los recordaron: murales, siluetas, escritos, poemas, libros, volantes... Se inundó el país de cosas: Rosario, Santa Fe, La Plata, Buenos Aires, Neuquén, Jujuy, Tucumán en todos lados, en todos lados realmente había jóvenes que querían recordar este maldito 24 de marzo y a estos benditos y hermosos hijos que tuvimos y que tenemos.

Yo quisiera hablarles un poco ahora y perdonenme compañeros, a ese grupo de madres que quiere la lista de muertos. Las madres que no entendieron que un revolucionario nunca muere y que menos muere para su madre. No necesita flores ni tumbas, no necesita velas. Necesita vidas, plaza, marchas, caminos y jóvenes que luchan. Queridas madres, a ustedes, a las que dicen que quieren los muertos, ¿qué cambia saber de dónde lo tiraron o a dónde lo enterraron si están vivos en nuestros corazones? ¿Qué mejor tumba que el corazón de una madre para tener un hijo metido adentro? Esta tumba enorme que es nuestro corazón lleno de amor y de hijos. Qué mejor lugar que el vientre y el corazón de una madre. Ese es el lugar para nuestros hijos y ahí renacerán cada día y cada vez.

Los tiraron al mar y volvieron. Los quemaron y volvieron. Los metieron en las mazmorras y volvieron. Los torturaron y volvieron. Y hay que reivindicarlos compañeros, porque los nuestros no están, porque murieron por no delatar y por no hablar. Estoy harta de libros de quebrados, quiero libros de los que murieron por no quebrarse.

El gobierno de Menem quiere terminar con nosotras. A los políticos les molestamos, somos un montón de viejas jodidas que les escarbamos la cabeza todo el día pero no saben, todavía no nos conocen bien porque esta es una lucha de cada minuto del día, es una lucha de cada semana, de cada mes, de cada año. Y como nosotras no queremos nada para nosotras, como nosotras no esperamos nada para nosotras sino que luchamos para ustedes y por ustedes es que vamos a seguir. Tenemos fuerza porque no queremos nada para nosotras. Siempre decimos, la mejor candidatura nos la dieron nuestros hijos y es ser madre revolucionarias y es también llegar a poder ser nosotras madres revolucionarias. Y cuando todo el mundó cree que hay una sola forma de revolución, las madres mostramos que hay miles de formas de ser revolucionario, es mejorarse todos los días, es ser solidario, es amar al otro, amar al otro como si fuéramos nosotros mismos o más que a nosotros mismos.

Mi hijo me decía "mamá hay que dar lo mejor, la mejor cama, la mejor comida, la mejor ropa" y yo que era egoísta me parecía que decía un disparate. Y ahora que aprendí, hijos queridos qué hermoso es poder dar lo mejor, que es mi vida, que es lo único que tengo para dar, y es lo que me sostiene y me mantiene. Y acá está, luchando y peleando, con mis compañeras, con las madres. Estas filas de un montón de viejas, de viejas que somos jóvenes, que nos sentimos jóvenes porque hacemos como jóvenes, vivimos como jóvenes, luchamos como jóvenes y amamos como jóvenes.

Peleando, discutiendo, señalando, exigiendo y marcando un camino diferente. Una forma diferente de hacer política donde un pañuelo blanco, la razón, la ética y los principios enfrentó a la feroz dictadura y hoy enfrenta al gobierno de Menem, un gobierno lleno de corrupción y lleno de milicos asesinos. Ahí están los asesinos, en el gobierno con él, por eso los perdona. Y nosotros no perdonamos y no olvidamos ni a los asesinos ni a los amigos de los asesinos.

Amigos, compañeros es muy fuerte lo que venimos haciendo durante toda esta semana. Charlas, debates, enfentamiento, palos, persecuciones a nuestra familia, llamadas telefónicas amenazantes de los cobardes como siempre. Pero qué poca importancia tiene eso ante la magnitud de las ganas que tenemos de llegar a lo que hemos propuesto. Paso a paso y poco a poco lo estamos consiguiendo. Estamos consiguiendo que la gente pierda el miedo, que la gente denuncie, que la gente no se calle. Estamos consiguiendo que los milicos tengan que salir a decir lo que quieren y lo que no quieren, ponerlos desnudos en la radio y la televisión. Desnudos como asesinos, como basura, como torturadores y ellos, como no tienen razón, no tienen elementos para discutir esta razón tan increible de los nuestros, de las madres, de los jóvenes. ¿Qué nos van a decir los que hicieron el horror? ¿Que estaba bien? Pero no nos tenemos que olvidar que hoy hay muchos responsables y que los milicos tuvieron mucho apoyo y que tuvieron mucho apoyo de los burócratas sindicales y de una gran parte de la iglesia y que queremos condenarlos a todos y a los políticos cómplices que trabajaron directamente para la dictadura. A todos hay que ponerlos en la prisión. Vamos a hacer una lista, como hacemos de los milicos asesinos, de curas y obispos que participaron directamente en la represión y los vamos a perseguir y vamos a ir a sus iglesias y les vamos a decir a la gente "señores miren quién les da el perdón, quién los casa y quién los bautiza. Es un asesino, es uno que participó, es uno que colaboró." Y así, paso a paso, y poco a poco. Antes de terminar, antes de decirles mis últimas palabras les pido que hagamos un pensamiento fuerte, con un silencio profundo, que nos miremos dentro de nuestro corazón y que cada uno le pida a quién crea el que cree en Dios, el que cree en nada en quien crea, el que crea en los hijos a los hijos que, Jaime de Nevares se mejore para que lo podamos ver otra vez, aquí en esta plaza.

Y para terminar, las Madres, el 4 de mayo en la Plaza de Mayo, vamos a hacer un juicio político a todos los asesinos y colaboradores. Asesoradas y con la participación de juristas y abogados, donde los jóvenes van a ser los jueces. Ellos dirán las sentencias, ellos dirán qué condenas quieren. El 4 de mayo, porque el 30 de abril cumplimos 18 años de lucha. El 4 de mayo están convocados ahí, en la plaza, para juzgar y condenar a los que no quieren condenar la justicia pero que tiene que empezar a condenar el pueblo. A todos los que tengan ideas y quieran colaborar y quieran venir, que vengan o nos las hagan llegar. Nuestro esfuerzo, nuestras ganas, nuestra vida, nuestra historia, nuestro corazón, nuestro cuerpo está siempre junto al que lucha. En Jujuy con los jujeños, en Neuquén con los neuquinos, en las minas en Turbio, en cada lugar que hay alguien que sufre ahí estamos porque no queremos que los hombres no tengan trabajo, porque esa denominación de los chicos de la calle nos asquea. A los chicos los mandamos nosotros a la calle porque hacemos que sus padres no tengan trabajo, porque no les reclamamos a los que votamos que les den trabajo, y sólo ponemos parches con hogares y casitas para ese terrible nombre de los niños de la calle. Y quiero que aquí como si estuvieran ellos, nuestros 30.000 nos comprometamos con toda la fuerza de nuestro corazón a llamarlos como corresponde: niños, queridos, hijos de nuestro pueblo amado, les prometemos que vamos a trabajar y a luchar como luchaban nuestros hijos para que nadie más tenga que decir que hay un niño en la calle.

JUICIO ETICO POPULAR
PLAZA DE MAYO, 4/5/1995
LA PLATA, 7/6/1995

Hebe de Bonafini: Discursos

Compañeros, cuando pensamos hacer este juicio aquí en la plaza —que es el lugar donde los queremos ver juzgados hoy y siempre y sobre todo condenados— no imaginábamos que iba a estar pasando lo que estamos viviendo en estos días. Pero se dió así, como milagroso. Como todo lo que nos pasa a las Madres porque cada cosa que nos pasa es como un milagro.

Fue un milagro venir a la casa convocadas por Azucena. Fue un milagro seguir en ella. Fue un milagro socializar nuestra maternidad. Fue un milagro encontrar en otros hijos a nuestros propios hijos. Fue un milagro darles 18 años más de vida. Es una milagro hablar con la boca de ellos y mirar con los ojos de ellos. ¡Es un hermoso milagro!

A los asesinos queremos decirles que los repudiamos, que los condenamos, que los vamos a perseguir. Pedimos a toda la gente que tenga datos los traiga a la casa de las Madres. Que nos digan dónde viven, si ocupan cargos, si van a una confitería, si van a algún lugar. Denunciémoslos, no tengamos miedo. Si están en un lugar, nos debemos levantar, denunciar al dueño del local, no quedarnos, porque no vamos a estar en el mismo lugar que ellos. Porque ellos, como dijo Barcesat, son nada, peor que nada.

No nos vamos a sentar en la mesa con ellos, no tenemos nada que aclararles. No tenemos nada que discutir con ellos. El presidente Menem la ideó muy bien. Cómo el no quería debatir por televisión política para el próximo 14 de mayo, los mandó a ellos para tener entretenido al pueblo hasta el día 14, mirando para otro lado en vez de ver qué política van a desarrollar. Son todos iguales, todos merecen castigo. Balza es un hipócrita y un asesino. ¿Dónde estaba él? ¿En qué escuela? ¿En dónde se preparó? ¡Si a todas las fuerzas armadas las preparan igual!

Y también tienen que pagar por el crimen de nuestras compañeras. Por Azucena, Mary y Esther que sucumbieron en la Escuela de Mecánica de la Armada, bajo las manos asesinas de la marina. Esa marina que tiene que desaparecer, que no tiene que existir. A la escuela de Mecánica de la Armada hay que destruirla, hay que hacerla polvo porque es el monumento al horror. Cada vez quer uno pasa por ahí da la sensación que está pasando por adelante de Hitler y de las SS. Yo conocí los monumentos en Nuremberg y tienen la misma forma y dan la misma sensación.

Los muertos los van a seguir persiguiendo. Esos hijos nuestros, nuestros hijos, por los que hablamos, por los que peleamos nunca soñaron que aquí en esta plaza los estaríamos juzgando con ética y con principios y que el pueblo los condenará ahora y siempre.

No nos vamos a callar. No vamos a perdonar, no vamos a olvidar. No hay plata para pagar lo que nos hicieron, sólo la cárcel para ellos y para siempre.

Y ahora, nuestros hijos. Otro capítulo. A los chicos, a los nuestros. A las chicas por las cuales hace 18 años llegamos a esta plaza. A ustedes queridos hijos: no habrán soñado, cuando estaban en el campo de concentración, que nosotras —las Madres—, los jóvenes, las mujeres, y hombres que nos acompañan siempre, estaríamos hoy aquí en esta plaza condenándolos con toda la fuerza de nuestro corazón.

Quisieron fusilarlos y los hicieron desaparecer pero no pudieron con ustedes. Demasiados grandes fueron. Demasiado hermosos. Demasiado fuertes. Nunca van a desaparecer, jamás. Los contamos aquí, entre nosotros. Seguro que nos están espiando. ¿No es cierto que sí chicos? Están ahí, aquí. En sus voces, en sus gritos, en sus aplausos.

Ya sabemos, lo sentimos. Todo los chicos, todos los jóvenes, todas la banderas, todos los acogen, los protegen,

los reivindican, los traen a la vida en cada momento...
Hay un poema que dice:

"...y eras tan joven. Si recién pasaste por aquí y me hablaste, no puede ser que estés caído. Levantate por favor, no te pueden haber fusilado. Vení aquí. Aquí estás."

La Plata. 7/6/1995

Cuando se nos ocurrió que podíamos hacer en las plazas de los distintos lugares un Juicio Etico y Político enseguida prendió entre nosotras la idea. Lo hicimos el 4 de mayo en Plaza de Mayo y ahora en Junio aquí, en esta ciudad tan castigada.

Hace 20 o 21 años esta Plaza era cruzada montones de veces por ellos, por los nuestros. Cruzaban los canteros, los caminos. Iban al trabajo a la Universidad, a la casa por las noches, a la hora del almuerzo. Cientos de miles de veces era cruzada esta plaza. Hace 20, 21 años ninguno de ellos soñaba que esto iba a pasar. Tenían otros sueños, otras ilusiones, otras fantasías. Soñaban con transformar este sistema oprobioso. Soñaban con ver crecer a sus hijos, con tenerlos, con casarse, con recibirse, con aprender... Soñaban todo el tiempo soñaban. Esos sueños querían concretarlos, por eso se fueron comprometiendo con sus hijos y por sus hijos, por sus compañeros, por sus amigos, con un sentido tan inmenso, tan grande y tan hermoso de la solidaridad que hoy se desconoce. Eran tan grandes en eso. Iban y venían, jugaban siempre contentos, Tenían esperanzas, sabían que podían, tenían mucha fuerza. Eran muy claros, sabían lo que podía pasar.

Un día, el horror empezó también a surcar las calles y las plazas de nuestra ciudad. Y las desapariciones comenzaron a ser masivas. Y entraban en la universidad, en el trabajo, y los buscaban. Y empezó el horror. Y llegaron los Camps, los "Lobo" Vides, las Comisarías 5ta y 9na y 8va y 1ra y la Cacha y Arana.

Estos nombres empezaron a rondar por nuestras cabezas, esas cabezas de madres inocentes, incrédulas de lo que realmente estaba pasando. Y así comenzamos a conocer qué era la tortura, qué era la picana... y empezamos a caminar, a juntarnos, y a ir de un lugar a otro.

No son responsables sólo Videla y Camps y Massera, no sólo el "Lobo" Vides y los cientos y cientos de torturadores de las comisarías. Hubo grandes responsables, los jueces. Doctor Adamo, usted que anda por ahí todavía ¿se acuerda cuando lo fui a ver y le dije "¡Dr. Adamo hay 70 pibes en la comisaría 5ta! Están ahí hacinados en un lugar de tres por tres. Les tiran la comida por una ventanuca" Dr. Adamo, usted que es juez. —¡Si hay alguien que es de la familia que escuche!— Ahí fuí a pedirle por favor que los salve. Y me contestó: "Pero señora qué me está diciendo. ¿Quién le contó ese disparate?" Mire qué disparate, Dr Adamo, no volvieron ninguno de los 70. ¿Y usted qué? ¿Está en su casa con su familia? ¿Con sus nietos, con su mujer, con sus hijos? ¿Puede dormir? Seguro que no.

¿Y usted Dr. Russo, que un día me dijo "no le puedo

dar un certificado de habeas corpus porque el juzgado no es un almacén"? ¡Dr. Russo, el juzgado es peor que un almacén! Son, fueron y serán una letrina, ¡una verdadera letrina! ¡Eso son los juzgados!

Y los chicos no soñaron que hoy estaríamos aquí, juzgando a los asesinos y a sus cómplices. No importa cuántos somos sino en cuántos nos vamos a multiplicar. Hoy sus hijos crecieron, están aquí en esta plaza, fueron testigos, testigos fuertes. Hijos que crecen con orgullo de haber tenido los padres que tuvieron. Cosa que no le va a pasar a ninguno de ellos. Ninguno puede sentir orgullo de tener un abuelo como Adamo o un padre como Russo. Ninguno puede tener orgullo de tener un asesino de pariente como el "Lobo" Vides. O como los miembros de las cientos y cientos de comisarías, sargentos, cabos, torturadores.

Nosotros sí, por suerte sí. Tenemos el inmenso orgullo de haber parido esos hijos que son ejemplo, y seguirán siendo ejemplo de muchas generaciones. Y el orgullo de que hoy también sus hijos elijan el camino de la solidaridad, del amor, de la esperanza y de la lucha. Por eso estos juicios se van a multiplicar y nosotros también nos vamos a multiplicar. Y los vamos a condenar en el lugar que estén. No los vamos a aceptar al lado nuestro, ni en el bar, ni en la confitería, ni en el trabajo, ni en niguna parte. Reaccionemos, echémoslos, denuciémoslos. No permitamos que estudien al lado nuestro, no seamos cómplices. El silencio mucho tiempo fué cómplice, por eso hoy aquí hay que gritar a todo pulmón: ¡No vamos a olvidar, no vamos a perdonar! Seguiremos pidiendo la cárcel para los genocidas, pasen los años que pasen.

Empezamos a sembrar en terreno duro, que parecía estéril, casi sobre la piedra. Solas 14 mujeres en una plaza. Y hoy sentimos que miles y miles de mujeres, miles y miles de hombres, sienten que la lucha de nuestros hijos, que pasó por nuestra sangre y por nuestro vientre, ya está a la posta. ¡No importa que nos quieran matar! ¡No importa cuántos juicios nos quieran hacer! Nuestros hijos nuncan van a morir. Están en la voz de cada uno de ustedes. Por eso aquí, en la plaza, hoy me sentí tan fuerte. ¡Nos sentimos tan bien las Madres!, tan contenidas, tan apoyadas. Sabiendo que lo que estamos haciendo es el único camino posible. Hay un sólo enemigo, el enemigo más fuerte, el enemigo que nos quiere dominar. ¡El plan económico aquel de Martínez de Hoz que hoy se reproduce con el de Cavallo, es el principal enemigo! apoyado por militares, políticos, curas y jueces. Todos juntos para un sistema. Y nosotros sufriendo... Pero si nos juntamos y seguimos denuciando, seguro que vamos a poder. No me canso de repetir que la única lucha que se pierde es la que se abandona. Y para terminar voy a leer algo:

Dejen la memoria ahí, donde se olvida el olvido,
para que el verdugo sepa que adonde vaya lo sigo.
No importa que ya no esté, soy un silencio testigo.
Si sot recuerdo, recuerda.
No olvides que no hay olvido.
Cuando las madres pregunten qué fue de nuestro destino,
no se olviden de acordarse que aquí y ahí comienza el camino.

Aunque no quieras

Aunque no quieras
mañana será
otro día.
Y te pregunto:
¿Dónde te vas a esconder
de tamaña alegría?
¿Qué vas a hacer
para evitar que cante el gallo
si el gallo insiste en cantar?
Brotará agua nueva
nos amaremos todos
sin parar.
Cuando llegue el momento
voy a cobrarme este
sufrimiento
con creces, te lo juro.
Todo este amor reprimido,
este grito ahogado,
este samba prohibido.
Vos que inventaste la tristeza
tené la delicadeza
de dar marcha atrás.
Porque vas a pagar caro
todo el llanto derramado,
mi penar.
Aunque no quieras
mañana será
otro día.

Y te apuesto lo que sea
que veré el jardín florido,
ese jardín
que tu odio no desea.
Cómo te vas a amargar
viendo nacer el día
de repente, impúnemente.
¿Y cómo vas a sofocar
nuestro coro, nuestra gente?
Aunque no quieras
mañana será
otro día.
Y vas a tener que ver
la mañana renacida,
el desborde de poesía.
¿Cómo te vas a explicar
que el día pueda asomar
sin pedirte permiso?
Me voy a morir de risa,
ese día va a llegar
antes de lo que creés...
Aunque no quieras
mañana será
otro día.
Te vas a sentir tan mal,
va a ser algo fenomenal.

Chico Buarque

PARIR UN HIJO, PARIR MILES DE HIJOS

Cuando me desperté esta mañana pensé en escribirte. Sabés, están pasando muchas cosas y quisiera contártelas.

Hace unas semanas apareció un asesino llamado Scilingo que le contó a un periodista de Página/12 cómo tiraba vivos al mar a los jóvenes que se atrevian a desafiar desde Onganía para acá a todos los poderosos. A los empresarios, los burócratas sindicales, los políticos, las AAA, al gobierno de Isabel y finalmente a la dictadura militar.

Ese marino tuvo todo el espacio que quiso, después que apareció el libro, para contar y contar la muerte, para hablar de la horrible muerte. Las radios pasaron cientos de veces sus declaraciones, la TV mostró su cara mil veces, se llenaron las páginas de las revistas y de los periódicos de sus declaraciones y de su terrorífica imagen.

Sabes querido, yo pensaba si nos hubiesen dado el mismo espacio a nosotras cuando lo empezamos a contar desde 1977 hasta ahora.

Que sociedad tan extraña la nuestra que desestimó durante años lo que nosotras contábamos y ahora ya lo saben, nadie puede decir que no fue cierto. Querido hijo, quiero decirte cuánto te quiero, que ocupas el lugar más importante en mi corazón y que cuando más te quieren matar, más piden listas y más piden tumbas, yo siento qué vivo estás. Cuando doy una charla, cuando hablo con los jóvenes en la casa o en la radio, me doy cuenta cuánto espacio ocupas en el pensamiento de cada uno de ellos. Todos los pibes quieren saber cómo eras, qué pensabas. La mayoría está cantando las mismas canciones que vos cantabas y quieren lo mismo que vos querías. Todos los arrepentidos o quebrados tiene mucho interés en asegurar que estás muerto, totalmente muerto, y me quieren pagar por tu muerte. Yo los desprecio. Cuando los miro con tus ojos, ellos bajan la vista. ¿Sabés por qué? Porque los miro con tus ojos y les hablo con tu voz.

El día que naciste, que mis entrañas se abrieron para poder parirte, fui tan feliz que te hablaba todo el tiempo. Tenía sueño después del parto y no me quería dormir. Quería verte, acariciarte, tenerte siempre fuerte, fuerte y robusto.

No sé por qué tuve tantas ganas de escribirte. Tal vez porque desde hace algunos meses cada mañana escucho más fuerte el "hola mamá" con que me despertabas. No sabés cuántas cosas estoy haciendo para seguir dándote la vida. Es tan hermoso dar la vida. Sobre todo cuando muchos sólo hablan de muerte.

Hijo, cada día te quiero más, te respeto más y sobre todo siento que las banderas que vos levantabas, por las cuales entregaste la vida, están en las manos de miles de trabajadores, de estudiantes y de pibes a los que el sistema arroja a la calle.

Pero esencialmente, tu lucha está en la Plaza de Mayo. Ahí de tu brazo, cada jueves, siento que estoy pariendo otros hijos, que como vos, me enseñan el mejor camino, el del amor y la solidaridad hasta cada latido de mi corazón.

Mamá

Buenos Aires, Abril de 1995.

SEMBRAMOS IDEALES PARA COSECHAR ESPERANZAS

Llegan las elecciones, y muchas Madres no vamos a votar. Unas pocas sí.

Sabemos que nada cambiará. Ninguno de los candidatos dijo algo distinto. En realidad, ninguno de los candidatos dijo algo importante y las Madres no aceptamos que se nos oblige a elegir "lo menos malo".

Las Madres no aceptamos vivir esta ficción de democracia, donde se le hace creer al pueblo que decide su destino en las urnas, mientras todo se resuelve a escondidas. Los gobernadores son títeres corruptos que se reemplazan. Los que mueven los hilos son los empresarios, los financistas, las empresas multinacionales y los banqueros. La política argentina es la que dictan los grandes monopolios, el embajador norteamericano y la "patria financiera".

Las Madres tampoco podemos creer en una democracia que se sostiene sobre un ejército mercenario y genocida. La república quedó a merced de fuerzas armadas sanguinarias, cuya única misión es someter al pueblo.

Las Madres sabemos que los políticos mienten cuando dicen que van a luchar contra la pobreza. Porque no se puede pelear contra la pobreza sin pelear contra la riqueza desproporcionada y obscena. Y los políticos son sólo los personeros de los depredadores del país: los terratenientes, los industriales, los financistas, los empresarios y banqueros.

Las Madres de Plaza de Mayo jámas negociaremos los principios. Las Madres sentimos que negociar es "transar", y un pueblo que "transa" se suicida.

Muchas Madres han muerto en estos años. Algunas luchando. Otras secuestradas y asesinadas. Pero nuestro deseo es que cuando llegue el último día, podamos mirar hacia atrás y encontrar un surco sembrado con amor, con resistencia y regado con nuestras lágrimas...

Serán otros los que cosechen, serán otros los que retómoran nuestro camino. Pero se nos recordará por no haber mentido. ni transado, ni negociado ni claudicado.

Los poderosos asesinaron al pueblo, a los dirigentes gremiales, a los trabajadores, a los estudiantes. Pero no hay cárceles ni tumbas que puedan acallar la voz del pueblo.

Hoy, los políticos, los militares y los religiosos ofrecen la reconciliación. Ellos van pregonando paz, amor y libertad, sentados cómodamente en el lujo y la opulencia. Pero son palabras vacías. Ninguno de ellos hablaba de la paz cuando ejecutaban a nuestros hijos, cuando violaban y mutilaban a jóvenes y niños. La paz que ellos quieren es la paz de los sepulcros.

Hace dieciocho años no nos quedó otro camino que salir a las calles, sólo armadas con nuestro dolor y con la verdad, para enfrentar a la muerte con una esperanza de vida. Nuestra marcha es un grito silencioso que sale de las entrañas del pueblo para traspasar la indiferencia de banqueros, empresarios, industriales y comerciantes. La nuestra es una voz que los poderosos no quieren escuchar, que les molesta, porque se interpone denunciando la verdad.

Hace dieciocho años salimos a las calles como madres y mujeres comprometidas con el dolor del pueblo. Dieciocho años después continuamos luchando porque nos duele la impunidad y la mentira. Porque nos duele las calles con niños abandonados. Nos duele esos seres humanos buscando entre los desperdicios un mendrugo de pan. Nos duelen los jóvenes entregados al analfabetismo, la desnutrición y la marginalidad. Nos duele los golpes y la tortura de la policía a los pobres. Nos duelen allanamientos salvajes en las viviendas humildes. Nos duele la opulencia, el lujo y la frivolidad de los gobernantes.

Mientras los políticos reparten promesas y mentiras, las madres vamos sembrando ideas y verdad. Sabemos que la justicia se gana peleando. Solamente luchando nos podremos liberar.

El pueblo comienza a comprender que asesinaron 30.000 jóvenes para saquear impunemente el país. Un día no lejano, el pueblo se lenvatará y nuestra tierra se estremecerá con su clamor señalando a los que asesinaron a mansalva al pueblo desarmado. Ellos, los poderosos, tendrán que darse cuenta que el pueblo existe y que es capaz de rebelarse cuando se lo empuja a la muerte y a la miseria.

La mayoría de las Madres no votamos. Las Madres preparamos la tierra para que los jóvenes puedan cosechar la libertad. Regamos cada surco, con lágrimas. Entregamos la vida sin guardarnos nada, porque las cadenas del alma se rompen con el amor. Sembramos ideales para cosechar esperanzas. Ellos pueden comprar diarios, televisiones y revistas, pero no podrán comprar el aire de las calles. No podrán callar nuestra voz ni censurar nuestra marcha. La marcha de las Madres es un grito profundo que surge de las entrañas de un pueblo sometido a la tortura, al hambre, las humillaciones y la marginación.

Donde exista un hombre, una mujer o un niño que se rebele contra la injusticia, el viento le traerá el agitar de nuestros pañuelos para acompañarlo en la lucha. Mientras la voz de un joven se eleve contra los poderosos, allí estarán las Madres: sembrando ideales y entregando la vida.

Mayo 1995.

Capítulo 5

Plaza de Mayo.

4 de Mayo de 1995 - Juicio Etico

9 de Julio de 1990 - Madres en la Catedral

9 de Julio de 1990 - Las Madres respondiendo a el Tedeum en la Catedral

1987 - 7ma Marcha de la Resistencia. Basta de Milicos

Abril de 1985 - Marcha de las Madres contra el Punto Final

1990 - 10º Marcha de la Resistencia

15 de Noviembre de 1990 - Acto Sindical de las Madres repudiando a a burocracia sindical. Sentada en las escalinatas de la Catedral.

5 de Noviembre de 1989 - Actividad en Parque Centenario
No Olvidaremos No Perdonaremos

1987 - Marcha de la Resistencia - Los chicos escuchan la explicación de una madre.

15/10/87. Día de la Madre

1987. Marcha de la Resistencia. Una mujer ciega con su hijo que no falta ningún jueves.

21/3/85. En la marcha Déle una mano a los desaparecidos. Los carteles de cada país que envio manos.

1985. Acto frente a la casa de gobierno.

28/4/88. El 11° aniversario de la creación del Movimiento.

1992. 12° Marcha de la Resistencia de Plaza de Mayo.

Un jueves en la Plaza de Mayo.

1984. Desfile 9 de julio. Presidente Raúl Alfonsín. (Foto N.A.)

1987. Marcha de la Resistencia Nº 7. Liv Ullmann.

1990. Premio León Felipe.

10 de agosto de 1989. Marcha "Contra la amnistía y el hambre".

1989

1987. Asesinos entre rejas.

1984. Marcha antes de Navidad.

1987. Represión policial en Plaza de Mayo, detienen a Mercedez Meronío.

9/6/88. Marta Harnecker y Hebe de Bonafini en la ronda de Plaza de Mayo, con motivo del día del periodista.

2 de abril de 1987. VIA CRUCIS en avenida Corrientes.

1989. Marcha de las siluetas.

1989. Marcha de las siluetas.

Diciembre 1994. 14º Marcha de la Resistencia.

1991. Cota y Susana en el puesto de periodistas un jueves.

1989. Marcha de las siluetas.

1988. Plaza de Mayo con Lula.

1992. Los servicios de inteligencia grabando la marcha desde la terraza de la casa de gobierno.

1992. En tribunales juicio por desacato.

1985. 5ª Marcha de la Resistencia.

28 de Abril de 1994. Homenaje a Azucena Villaflor de Vincenti

Capítulo 6

Artistas del País.

1990. Piter Sigel y León Gieco en la Casa de las Madres.

1988. Carlos Perciavale.

1987. Sting.

1988. Festival de las Madres por 11º Aniversario del Movimiento es el Anfiteatro de Arte. Hamlet Lima Quintana, Elsa Berenguer y Antonio Puigjané.

1987. Teresa Parodi.

1984. Soledad Silveira.

1990. Día de la Madre. Norman Briski.

1987. Marcha de la Resistencia. Liv Ullmann.

1992. Ignacio Copani en la Plaza.

1987. Danza salve la Madre. Alemania, dirección: Ana Bayer.

1985. Eduardo Galeano

Capítulo 7

Personalidades en exterior.

1989. Presidente de Alemania Federal Richard Von Weizsäcker.

Presidente de Italia Luigi Scalfaro.

1989. Encuentro en la Municipalidad de Alessandria (Italia).

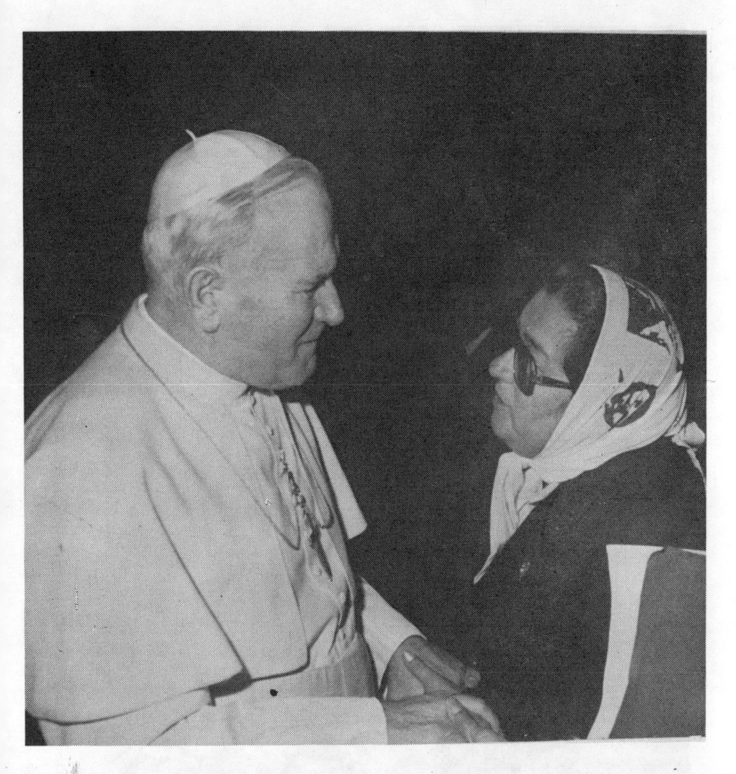

1983. El Papa Juan Pablo II

1983. París. Entrevista con François Miterrand.

1993. Junio. Viena. Madres con Arafat.

1990. Parlamento Europeo.
Madres con Ken Coates

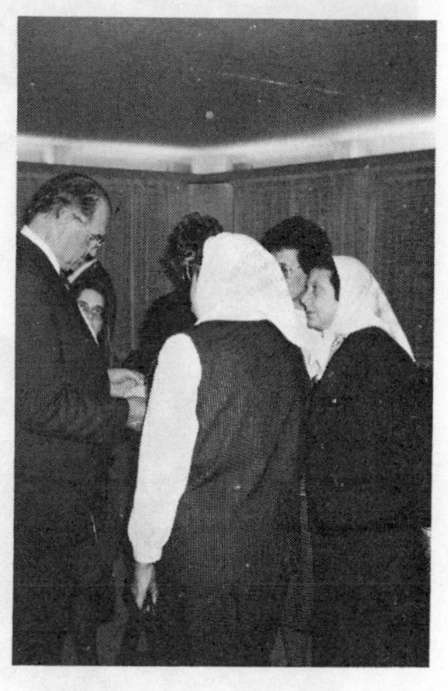

1989. Parlamento Europeo.

1988. Lisbeth en Holanda, esposa del Primer Ministro. Presidenta del grupo SAADD.

1990. Parlamento Europeo. Madres con Van Putten

1989. Amsterdan. Marcha recordando la Resistencia de los Judios contra los Alemanes.

Capítulo 8

Iglesia.

9/2/95. Opción por los Padres. Hermana Peloni, Florencio Varela.

Monseñor Hesaine

28/11/1982. Entronización de la Virgen Nuestra Señora de la Paz. Obra realizada por Pérez Esquivel. La Virgen lleva el pañuelo de las Madres.

1989. Homenaje a Jaime de Nevares.

Capítulo 9

Solidaridad Exterior. Actos

Mayo de 1990 . En Amsterdam, Holanda, se inaugura una estatua representando a una madre.

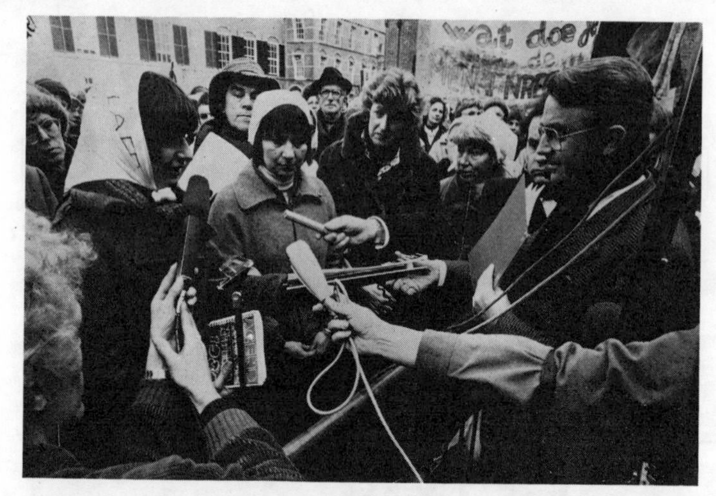

Holanda - Febrero 1981 - Solidaridad con las Madres.

10 de Septiembre 1987. Brasil - Cámara de diputados.

14 de Enero de 1991. Hebe con Jesús Quinteros.

1991. Barcelona - Reunión Internacional de Apoyo a las Madres.

1985. Frente al Consulado argentino en Madrid.

1995. Madrid - Grupo de Apoyo.

1993. Junio - Viena.

1987. Septiembre - Suecia.

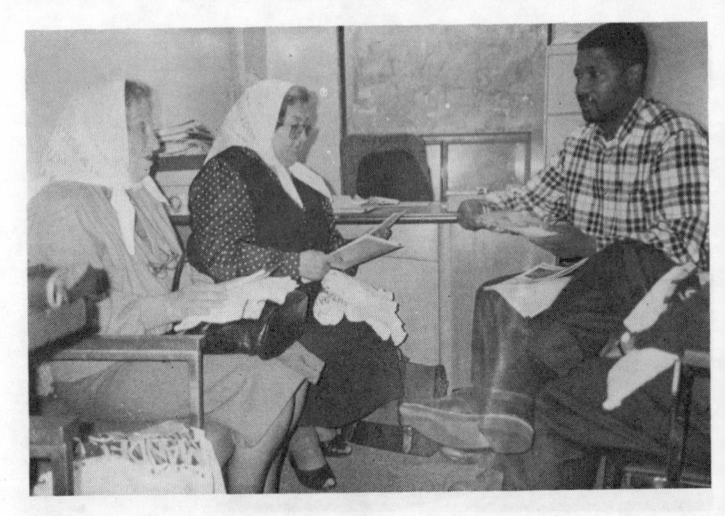

1990. Septiembre - Canada - Comite Sudafricano.

1989. Parlamento Europeo.

1993. Junio - Viena - Prisoneros Politicos de Corea del Sur.

1993. Junio - Viena - Solidaridad con los Presos de Indonesia.

1993. Junio, Viena
Hablando en el acto de Amnesty Internacional

1993. Junio, Viena
Acto Amnesty Internacional.

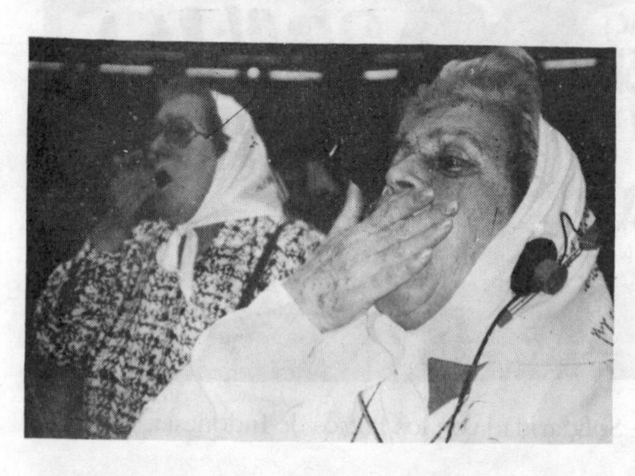

1993. Julio, Viena
Repudio a Carter.

8 de Junio de 1991. Reus.

1987. Septiembre - España.

1994. Marzo - París - Encuetro de Madres que luchan.

1994. Marzo - París - Encuetro de Madres que luchan.

Capítulo 10

Pintadas y Carteles.

1988.

NO

1985

AMNISTIA
CNEL
AMNISTIA
NO A LA AMNISTIA
NO A LA AMNIS
EJERCITO:
GOLPE

1985

25/11/93. La Plata.

1986.
La Plata

1985. Casa de Hebe.
City Bell

8/12/88.

6-7 de diciembre de 1990.

Capítulo 11

Asalto a la Casa.

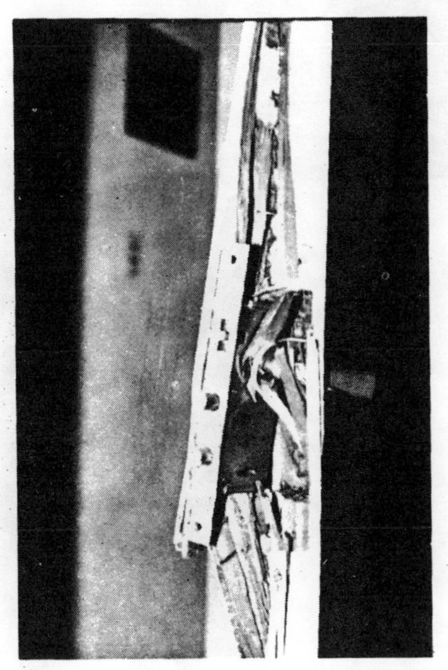

1991.

1991.

1991.

Capítulo 12

Cuba.

SEÑORES
IMPERIALISTAS
¡NO LES TENEMOS ABSOLUTAMENTE
NINGUN MIEDO!

AQUI
no se
Rinde

Capítulo 13

Discursos.

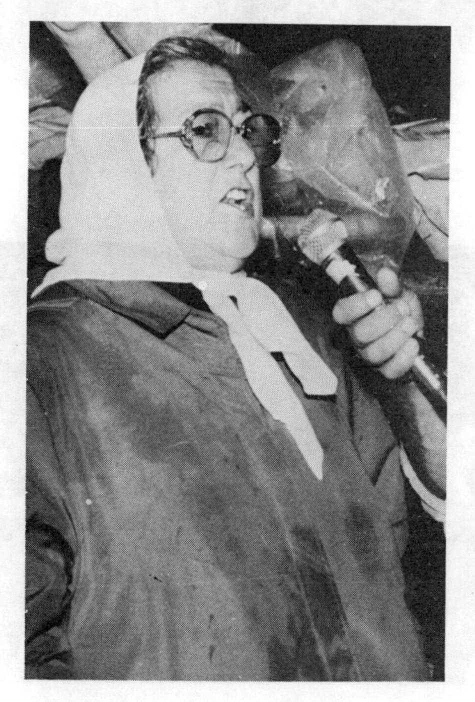

25/11/93. Jornadas de La Plata.

1987.

1988.

28/4/91. Neuquén.

24/3/88.

13/1/91.

Capítulo 14

15 Años de Lucha.

15-4-92. Inauguración de la exposición Centro Cultural Recoleta.

15/4/92.

15/4/92. Exposición Centro Cultural Recoleta.

1992. Plaza de Mayo. Marcha por los quince años de las Madres.

29/4/92.

Capítulo 15

10 Años de Lucha.

27 de Abril de 1987. 10º Aniversario de las Madres
Festival Artístico - Luna Park.

27 de Abril de 1987. 10º Aniversario de las Madres
Festival Artístico - Luna Park.

Capítulo 16

Actos y Madres del Interior.

1994. Paraná - Convención Constituyente.

1994. Paraná - Acto de repudio ante la Convención Constituyente.

1990. Regalito de Navidad para Menem.

1985. Con Sandro Pertini en Buenos Aires.

1985. Presentación del Libro de Hebe - Historias de Vida.
Teatro San Martín.

1981. Neuquen.

Menem asume la Segunda Presidencia. Repudio de las Madres.

8 de Septiembre de 1989. Neuquén.

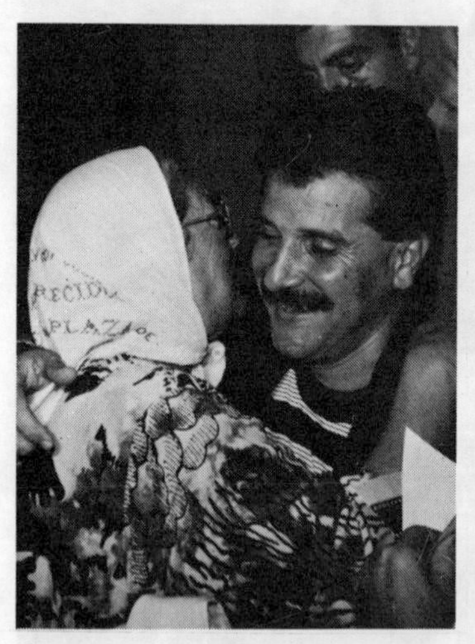

1994. Abril - Canciller Cubano Robaina.

1988. Mayo
Teatro San Martín.

16 de Septiembre de 1992. Marcha en Santa Fe.

1985. Marzo, Santa Rosa, La Pampa. Campaña Manos.

1988. Noviembre, Catamarca. Charla.

Marcha en Rosario

16 de Abril de 1993.
Encuentro Nacional
de Madres.

16 de Abril de 1993.
Encuentro Nacional
de Madres.

16-6-88 Madres en el comedor de la Ciudad Universitaria de Cordoba

17 de Agosto 1994. En La Plata. Día del Libertador Gral. San Martín. Las Madres marchan rodeadas de militares.

Tucumán

6 de Julio de 1980. Porto Alegre - Secuencia de visita al Papa.

Capítulo 17

Trabajadores. Casa de las Madres. Mar del Plata.

1984. Acto de la CGT.

13/11/87. Filipinos.

8/9/88. Dirigente de la UMP en Plaza de Mayo.

1991. Mineros de Río Turbio.

1990. Todos los años en Mar del Plata se realiza un acto en la peatonal.

1991. Ferroviarios en huelga.

28/1/95. Delia y Susana en el Acto de Mar del Plata.

Capítulo 18

Raza de víboras. Astiz. Toma de la Casa de Gobierno en el año 1985

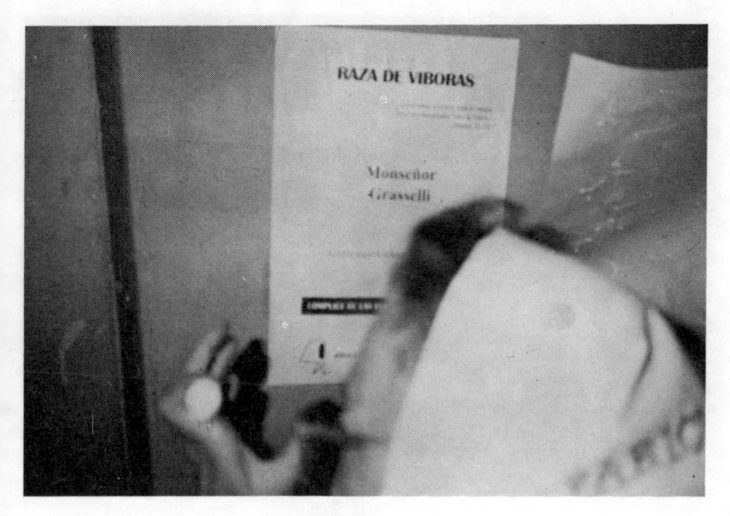

23/3/95.

23/3/95.

24/6/85. Toma de la Casa de Gobierno.

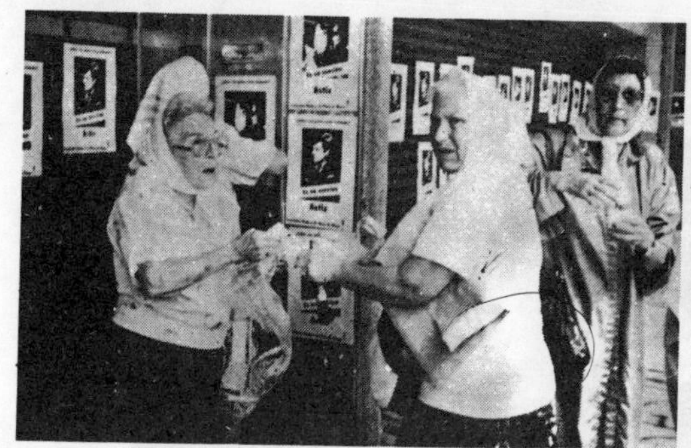

1994. Las Madres empapelan la discoteca "New York City", adonde concurre habitualmente Astiz, con esta leyenda: "¿Sabés con quién estás Bailando? Es un asesino.

11/2/95. Cota en la Discoteca. Acto contra Astiz.

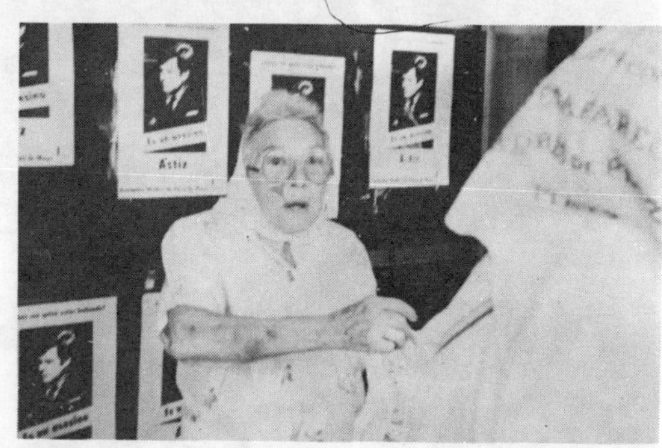

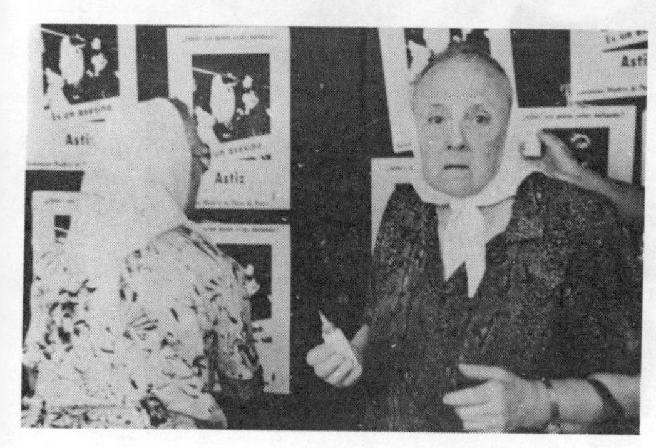

11/2/95. Ana y Susana en la Discoteca. Acto contra Astiz.

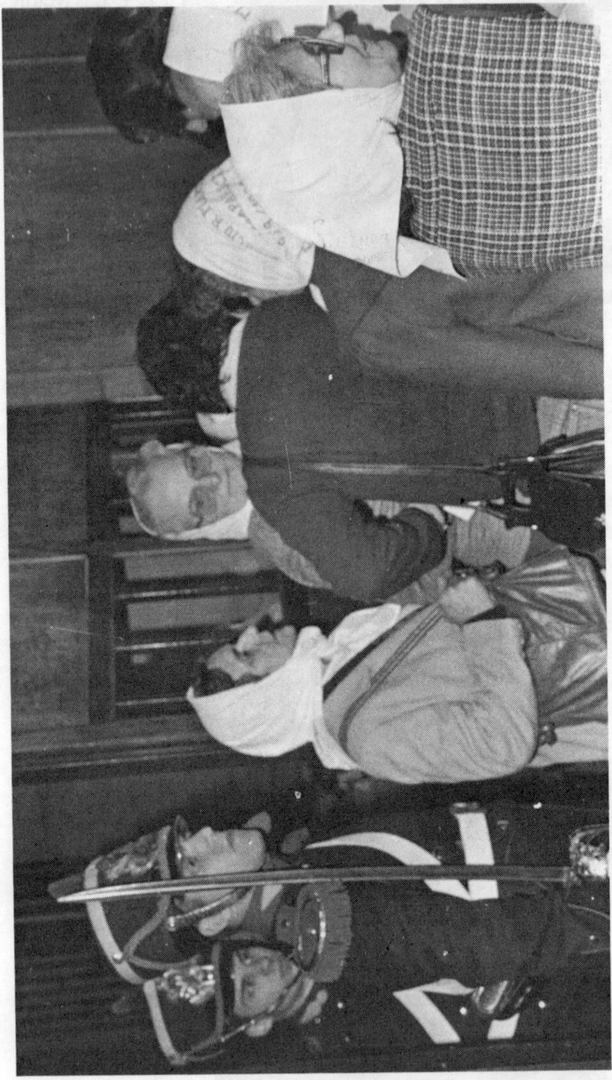

1986. Toma de la Casa de Gobierno.

Índice

Impreso en A.B.R.N. Producciones Gráficas S.R.L.,
Wenceslao Villafañe 468, Buenos Aires, Argentina, en abril de 1999.